人類が進化する未来

世界の科学者が考えていること

ジェニファー・ダウドナ 他著
Jennifer Doudna et al.
大野和基 インタビュー・編
Ohno Kazumoto

PHP新書

プロローグ——科学の発展がもたらす「人類の新たなる進化」

進化論と言えば、世界中誰にとっても真っ先に浮かぶのが、十九世紀に『種の起源』を出版したチャールズ・ダーウィンであろう。本書に登場するジョナサン・シルバータウン氏の『美味しい進化：食べ物と人類はどう進化してきたか』の原題は“Dinner with Darwin”であるが、まさに「ダーウィン」が進化論の象徴であると言っても過言ではない。

ヒトが現代の知性のあるヒトになったのは必然的な進化なのか、それともたまたま運良く進化しただけなのか。その進化に対する関心が世界的に高まり、毎年多くの書物が出版されているほどだ。

また、地球外生命体の存在についても一昔前はSF世界の話であったが、地球と同じような惑星がおびただしく宇宙に存在することが発見されてからは、現実の話になった。現に本書に登場する八人のうち三人は地球外生命体の問いに真剣に答えている。

進化論は現代では分野横断的に研究されている。生物学をさらに細かく分けて、進化生物学という下位分野があるが、本書に出てくる研究者の専門分野をみると、実に多岐にわたっていることがわかるだろう。

ジェニファー・ダウドナ氏の専門は分子生物学。難解な宇宙の話を一般人にもわかりやすいように説明するのに長《た》けているリサ・ランドール氏は理論物理学者。老化と若返りの研究で右に出るものはいないと言われるデビッド・A・シンクレア氏は遺伝学。マーティン・リース氏は宇宙物理学。

ジョナサン・シルバータウン氏は進化生態学で、近著は『なぜあの人のジョークは面白いのか?：進化論で読み解くユーモアの科学』（原題：The Comedy of Error）であるが、いかなる事象も進化論という視座から見るので頗る興味深い。

チャールズ・コケル氏の専門分野は宇宙生物学という分野であるが、あまり聞いたことがない分野である。ハーバード大学のジョセフ・ヘンリック氏の専門は人類進化生物学、ジョナサン・B・ロソス氏はまさに進化生物学者で、この二人の専門分野の名称からすると、最も進化に近い。

ここで本書の内容を簡明に紹介しよう。

ジェニファー・ダウドナ氏は、エマニュエル・シャルパンティエ氏とともに二〇二〇年にノーベル化学賞を受賞したが、受賞理由が、今世紀最大の革命と言われる、クリスパー・キャス９（CRISPR-Cas9）という遺伝子編集技術である。ヒトゲノムを構成する三二億文字のなかから、編集したいたった一文字を探し出し、修正するという離業である。

二〇一二年にその画期的な技術を『サイエンス』誌に発表したジェニファー・ダウドナ氏は、その技術が、遺伝病の治療のみならず、マンモスをはじめとする絶滅動物の復活プロジェクト、農作物の改良などに利用されていくのを目《ま》の当たりにする。この技術の諸刃の剣の両面について問うた。

デビッド・Ａ・シンクレア氏は老化の原因と若返りの方法に関する研究で、世界的に著名な科学者であり、同時に起業家でもある。特にサーチュイン遺伝子、ＮＡＤの前駆体、レスベラトロールなど、老化を遅らせる遺伝子や低分子の研究で耳目を集めている。

氏はハーバード大学医学大学院で、ブラヴァトニク研究所に所属しているが、すでに遺伝学の教授として終身在職権を獲得している。ほかにも、ハーバード大学ポール・Ｆ・グレン老化生物学研究センターの共同所長の地位を有し、氏の出身国であるオーストラリアのシドニーにある、ニューサウスウェールズ大学の兼任教授および老化研究室責任者、およびシドニー大学名誉教授をも務めるという八面六臂《はちめんろっぴ》の活躍をしている。

特許も多く持ち、起業家として、老化、ワクチン、糖尿病、生殖能力、がん、生物兵器防衛などの分野で、一四社のバイオテクノロジー企業を共同創業している。その活躍は輝かしい受賞歴にも表れている。これまでに、オーストラリア医学研究賞受賞、アメリカ国立衛生研究所長官パイオニア賞受賞。二〇一四年の『タイム』誌による「世界で最も影響力のある一〇〇人」の一人に選出され、二〇一八年には「医療におけるトップ五〇人」の一人にも選出されている。その活躍は間違いなく、瞠目《どうもく》に値するだろう。

才色兼備のリサ・ランドール氏は、理論物理学者で、ハーバード大学物理学教授として素粒子物理学および宇宙論を研究している。マサチューセッツ工科大学およびハーバード大学で理論物理学者として終身在職権をもつ初の女性教授であるが、理論物理学者の分野は圧倒的に男性が多い。インタビューで披露してくれた、性差別のエピソードは、一見些細《ささい》なことにも聞こえるが、じつは根の深さを象徴的に表しているのではないだろうか。

一九九九年にサンドラム博士とともに発表した「ワープした余剰次元」で、物理学会で一躍注目を集め、二〇〇七年に『タイム』誌の「最も影響力のある一〇〇人」に選出されている。

ハーバード大学人類進化生物学教授であるジョセフ・ヘンリック氏は、文化がヒトを進化させ、そうして進化したヒトが文化を高度化し、高度な文化がさらにヒトを進化させるという、斬新な視点を提供してくれる。なぜヒトだけが文化を形成できたのか、ヒトの脳がいかにして拡大してきたのか、その説明は新鮮である。

「自己家畜化」がキーワードであるが、それについてはインタビューを読んでもらいたい。さらに長年社会問題にもなってきた同性愛者についても人間特有ではないという。

エディンバラ大学の進化生態学の教授であるジョナサン・シルバータウン氏は、同大学の進化生物学研究所に所属している。邦訳書は『なぜ老いるのか、なぜ死ぬのか、進化論でわかる』『生物多様性と地球の未来』（編著）などがあるが、進化や生態学に関する本を多く世に出している。

エディンバラ大学で宇宙生物学教授を務め、英国宇宙生物学センターの所長でもある、チャールズ・コケル氏は、極限環境の生物や、地球外生命体の存在の可能性に関心を持ち、宇宙探査や宇宙入植にまで関心の範囲は広がる。

氏は、生物には美しい単純性があるとし、生物学に物理の法則を適用して数式まで提供してくれる。その物理法則は、生物と無生物のあいだを分けるものであるが、生命の本質を突く物理法則であり、進化と物理学を統合する新たな試みである。アリにリーダーが存在していると思っている人は多いが、そうではないと氏は一刀両断する。

氏の生物論は、地球外生命体にまで及んでいるが、惑星によって環境や重力が異なっても、生命体に与える影響は方程式に従って作用するという。つまり、地球外生命体も同じような形をしているはずであるというのが氏の見方である。

一九四二年生まれのマーティン・リース氏は本書に出てくる碩学《せきがく》の中で最も高齢であるが、その好奇心はまだまだ健在で、弱まるどころか、ますます燃えていると言ってもいい。氏は世界的に著名なイギリスの宇宙物理学者・天文学者で、英国王室天文官、元ロンドン王立協会会長でもある。

宇宙物理学を専門にしているが、氏が卓見を披露する範囲は幅広く、ＡＩ（人工知能）、軍事ドローン、サイバー兵器、さらには人類が地球外へ移住する可能性にまで及ぶ。

一、二世紀もすれば、人類とは異なる新しい種が火星で出現するかもしれない、という氏の考えは真剣に受け止めなければならないだろう。それを氏は「ポスト・ヒューマン」と呼ぶのである。

セントルイス・ワシントン大学のジョナサン・Ｂ・ロソス教授の研究は、何と言っても「トカゲの進化実験」であろう。人為的な実験で進化の過程を証明することは、いままでの仮説を証明する点では極めて重要である。仮説だけで侃々諤々《かんかんがくがく》の論争をいくら行なっても、論争が終わることはない。

環境の圧力によって、必然的に突然変異が起きると思っている人も多いだろうが、「進化と自然淘汰《とうた》について重要な点は、突然変異は必要なときに起きないということである」と氏は言う。氏も地球外生命体について一家言を持っているが、地球外生命体とヒトは似ていない、という自説を展開している。

本書に登場する八人の学者との対話は、進化についての考え方や、議論のあり方を一変させるのではないだろうか。同じ事象でも学者によって見方が異なるが、この対話集は物事を多面的にみる機会を提供してくれると思う。本書がいままで考えたこともないようなことを考える小さな契機になれば、それにまさる喜びはない。

大野和基

人類が進化する未来

世界の科学者が考えていること

目次

Jennifer Doudna

Chapter 1

ジェニファー・ダウドナ
ゲノム編集はヒトの希望か

David A. Sinclair

Chapter 2

デビッド・A・シンクレア
「人生200年時代」の到来

Lisa Randall

Chapter 3

リサ・ランドール

「目に見えない」宇宙の秘密

Joseph Henrich

Chapter 4

ジョセフ・ヘンリック

人類は「自己家畜化」に陥っている

Jonathan Silvertown

Chapter 5

AIに料理はできるか

ジョナサン・シルバータウン

Charles Cockell

Chapter 6

チャールズ・コケル

物理法則に制限される生命

Martin Rees

Chapter 7

マーティン・リース

世界大戦が起きれば数分で終わる

Jonathan B Losos

Chapter 8

ジョナサン・B・ロソス

宇宙に「知性」は存在するか

英文校正・協力:平 祐幸

Chapter 1

ゲノム編集はヒトの希望か

究極の遺伝子改変技術でノーベル化学賞を受賞した化学者が語る人類の課題と針路

「ゲノム編集」は、自然淘汰による進化と違って、人工的な、そして時には恣意的な進化と言えるが、まさに諸刃の剣になるテクノロジーである。人類にとって有益な利用ができることは疑いないが、一方で、すでに中国では実際にゲノム編集で遺伝子改変した人間の赤ちゃんが誕生しているという厳然たる現実もある。

遺伝子改変をした賀建奎は二〇一九年に懲役三年の実刑判決を言い渡されているが、驚くべきことに、ダウドナ氏はヒト胚のゲノム編集について否定的な考え方を持っていない。科学者は研究だけに専念していればいい時代は過ぎたのかもしれない。人類の未来にできるだけ弊害をもたらさないことを確認することも忘れてはならない。

Jennifer Doudna

ジェニファー・ダウドナ

化学者

Photo：Keegan Houser

1964年生まれ。カリフォルニア大学バークレー校化学・分子生物学教授。エマニュエル・シャルパンティエ氏とともに、ゲノム編集技術を開発し、2020年のノーベル化学賞を受賞。著書（邦訳）に『CRISPR（クリスパー） 究極の遺伝子編集技術の発見』（文藝春秋）がある。

遺伝性疾患の治療に役立つ

――まず、ノーベル化学賞の受賞おめでとうございます。

ダウドナ　ありがとうございます。

――私がコーネル大学で化学を専攻していた一九八一年、同大学のロアルド・ホフマン教授がノーベル化学賞を日本人の福井謙一氏とともに受賞しました。これまで私は二〇人以上のノーベル賞受賞者にインタビューしてきましたが、必ず聞く質問があります。受賞の知らせを受けたとき、何をしていましたか。

ダウドナ　（Ｚｏｏｍのスクリーンに彼女が熟睡している格好が映り、私は吹き出しそうになる）恥ずかしい話ですが、連絡があったのが夜中で熟睡しており、電話を取り損《そこ》ねました。やっとのことで目を覚ましたのはその一時間後です。リポーターから、受賞を知らせる電話があったのです。その後、かつて私のラボ（研究室）で働いていたマーティン・ジネック氏から電話を受けました。彼は慎重な人なので、そのとき、受賞が本当だと確信しました。

――ノーベル化学賞の受賞理由になったクリスパー・キャス９（以下、クリスパー）は、ヒト・ゲノム（全遺伝子を含むＤＮＡの総体）の編集・加工技術で、無限の応用可能性をもっています。ワープロで文字を編集するように、ゲノムを書き換えられるという。生物学史上のマイルストーンというレベルをはるかに超えており、一世紀に一度あるかないかの大発見でしょう。おそらく多くの人がこの技術の話を聞いた際、最初に考えるのは、絶滅した恐竜の復活かもしれませんね。映画『ジュラシック・パーク』の世界です。

ダウドナ　たしかに、クリスパーは恐竜をはじめ絶滅した種の復活が可能かどうかについて、耳目《じもく》を集めました。でも、現実には太古に絶滅した恐竜やマンモスを復活させるのは難しいでしょう。まず、そのような動物のゲノム情報がすべて揃っていません。また、たとえばマンモスの場合、そのゲノムを再現できたとしても、適切な生息環境が現代にあるかどうか、はっきりしません。

――ハンチントン病など、数千あるといわれる単一遺伝性疾患（ある一つの遺伝子の異常で起こる病気）の治療にはすでに使えますか？

ダウドナ　一つの遺伝子変異が原因で起きる遺伝性疾患については、クリスパーはいま使えるツールです。鎌状赤血球症という遺伝性の貧血病の治験はすでに行なわれており、病因となる変異遺伝子の修正が必要な患者に対して大きな成功を収めています。

――エイズについてはどうでしょうか。遺伝子編集をして、患者の細胞を（エイズの原因ウイルスである）HIVに感染しないようにすることは可能でしょうか。

ダウドナ　HIVに関する問題は、ウイルスが感染者の細胞の中に組み入れられていることです。それを含むすべての細胞のゲノムからクリスパーを使ってウイルスの遺伝物質を切り取らないといけません。完全にそれを行なうことは困難です。

しかし一方で、すでに初期世代のゲノム編集技術がHIVの治療に使われています。感染の元になるタンパク質（の遺伝子）をゲノム編集で改変し、除去することで、ウイルスの感染から自らの血液を守る方法です。この戦略を使っているのは、サンガモ・セラピューティックス社です。この会社は、ＨＩＶに感染していない体内の免疫システムを強化させる方法として、ＨＩＶに感染している患者に対して治験もしました。これは非常に興味深いやり方で、クリスパーをＨＩＶの治療に使うためのより現実的な方法だと思います。

――あなたが教授を務めるカリフォルニア大学バークレー校とグラッドストーン研究所は、クリスパーをベースにしたCOVID-19（新型コロナウイルス感染症）の新しい診断テストを開発したそうですね。

ダウドナ　そうです。それは異なるクリスパーの使い方で、ウイルスの遺伝物質の存在を検査するために使われます。新型コロナを引き起こすウイルスはＤＮＡウイルスではなく、ＲＮＡウイルスです。そのＲＮＡを認識できるように細菌内で進化させたＣＲＩＳＰＲタンパク質を利用する診断ツールです。少し詳しく説明しますと、このＣＲＩＳＰＲタンパク質がＲＮＡウイルスを検出したときに蛍光シグナルを発する分子を組み合わせて、そのシグナルをリアルタイムで測定できるようにしたものです。しかも、採取サンプルに含まれるウイルス量がわかるので、患者の感染程度もわかります。

――採取してから、検査の結果が出るまでどれくらいの時間がかかりますか。

ダウドナ　現在は非常に早いわけではなく、一、二時間はかかります。しかし、クリスパーを使った検査は素晴らしい方法であり、いかに早く結果を出すかにわれわれは注力しています。十五分もかからないで結果が出れば最高です。

――新型コロナのワクチンはすでに、さまざまな種類のものが開発されています。クリスパーを使ったワクチンはありますか？　またはこれから開発されようとしていますか？

ダウドナ　ありません。いまクリスパーが使われているのは診断のためです。

――では、治療薬の開発にクリスパーが使われる可能性はいかがでしょうか。

ダウドナ　まだ開発されていませんが、可能性はあります。ただ、治療薬の開発にはかなり時間がかかります。

私の考えでは、クリスパーは新型コロナに感染した患者の治療にはベストな方法ではありません。というのも、ＨＩＶの場合と同じように、患者の体内で感染したすべての細胞を検知しウイルスを死滅させなければなりませんが、それはクリスパーのようなツールでは難しい。一つの興味深い可能性は、免疫細胞をゲノム編集することで、コロナウイルスやこれから出現しそうなウイルスを認識できるようにすることです。

人間の形質を変えるためにゲノム編集が使われる？

――倫理学者のなかには、ゲノム編集の最悪のシナリオは、身長や知能のような形質を変えるために使われることだという人もいます。

ダウドナ　そのような形質は、一つの遺伝子から成るのでなく、多くの遺伝子が複雑に作用した結果です。特定の形質に関わる遺伝子をすべて見つけるのは、簡単なことではありません。たとえば、望む身長になるようにゲノム編集をどう使うことができるかについて、明確ではありません。知能についてもよく話題になりますが、そもそも知能をどう定義するのか。知能に関連する遺伝子は多く、特定の遺伝子を突き止めることは難しいのです。

——ヒト胚《はい》にクリスパーを使うと、生まれてくる子の容姿や能力を親が自在に改変できるようになる。いわゆる「デザイナー・ベイビー」の問題について、どう考えますか。

ダウドナ　たしかに、ヒト胚のゲノム編集は目の前に迫っています。私からみると、それに逆らおうとしないで、「いいですか、いつやってくるかわかりませんが、将来必ずやってきます。ゲノム編集がそれに使われることもわかっている。だから、その技術が確実に、できるだけ責任あるかたちで使われるように努力しましょう」と述べておきたい。

——自分をアップグレードしたいと思う誘惑に駆られるのは人間の性《さが》ですが、オリンピックではドーピングが問題になります。もし実際の試合でスポーツ選手がゲノム編集をして筋肉を増強した場合、それを見抜く方法はありますか。

ダウドナ　それにはflip answer（ふざけた答え）とまじめな答えがあります。ふざけた答えは、もし私がオリンピックの重量挙げの試合に出たら、ゲノム編集をして筋肉を増強したことがわかるでしょう（笑）。普段、発揮できる能力とあまりにかけ離れているからです。他方でまじめな話をすると、現在のところ、テクニカルな理由でそれは起こり得ません。とはいえ、将来、肉体形質を増強するためにゲノム編集が使われる可能性はあります。

ここでも重要なことは、テクノロジーの発展について、透明性を保ち続けることです。たとえば、WHO（世界保健機関）はヒト胚でゲノム編集を実際に利用している人に対して、登録を要請するようにしました。どこでそれが行なわれているか、経過を把握するためです。そういう動きは本当に嬉しく思います。

政府による規制は効果がない

――自然の営《いとな》みはつねに人智に勝《まさ》るものです。そう考えれば、クリスパーによってこれまでにない遺伝子の疾患が生じたり、短命になる副作用など、予期せぬリスクに見舞われる可能性があります。その意味で、あなたとエマニュエル・シャルパンティエ氏（クリスパー開発で共にノーベル化学賞受賞）は、パンドラの箱を開けてしまった、ということになりませんか。

ダウドナ　テクノロジーは後ろに向かって進むことはありません。一度獲得したテクノロジーをなくすことはできない。クリスパーの場合、多くの優れたポテンシャルがあります。それが遺伝性疾患であれ、気候変動のような環境分野であれ、人類が直面している大きな問題を解決する可能性があります。

われわれは、クリスパー・テクノロジーの開発を確実に促進するのと同時に、責任ある開発を進めたいと思っています。ここ数年、私はクリスパーの責任ある利用について、世界中の科学者のあいだで協調して努力できるように声をかけています。

――クリスパーは安価な技術であり、カリフォルニア州オークランドにベースがあるODINのように、DIY（手づくり）でクリスパーを使える遺伝子工学キットを販売する企業もあるほどです。ここまでくると、野放しになりそうな懸念もありますが、クリスパーについて、世界中のモラトリアム（一時停止）や政府による規制が必要だと思いますか？

ダウドナ　どちらもあまり効果がないでしょう。モラトリアムのような強制的なメカニズムをグローバルな規模でどう実施するのか。政府による規制は、そもそも対象であるテクノロジーを政府が理解する必要がある。それには大きな困難が伴います。ハイテク業界をみればわかります。ソーシャルメディアをどう規制すべきか、政府は理解していない。

だから私は、クリスパーがどういう技術でどのように機能するのかについて学びたい人たちを、科学者たちが率先して助けることを提唱しています。さらに、責任ある方法でその技術を発展させられるように、何らかの規制の枠組みを効果的に整えることも提起しています。

――かなり活発に行動されていますね。

ダウドナ　クリスパーのテーマを中心にいろいろな組織がスポンサーとなり、多くの年次会合が行なわれていますが、本当に感動しています。WHOやユネスコに加えて、各国の科学アカデミーとも協力して研究に関わり、報告書も発表しています。

正確さと精度が鍵となる

――オフターゲット作用（標的以外のDNA配列への変異導入）など、ゲノム編集に関わる正確さの壁は、どれくらい解決されたのでしょうか。また現在、ほかに直面している壁はありますか。

ダウドナ　いまの試練は二つあります。一つはテクノロジーそのものについてです。ゲノム編集は正確でなければならない、という指摘はそのとおりです。たとえば記事を書くとき、間違った言葉を使うと、文章全体の意味が変わってしまいますよね。クリスパーでも同じような問題に直面しています。DNAには正しい修正を加えなければなりません。いまも科学者はそれをどうコントロールするか、見極めようとしています。現段階では、遺伝子を破壊して取り出すのは比較的簡単ですが、そこに新しい遺伝子を正確に入れるのはきわめて難しい。それはまさに最先端のテクノロジーであり、正確さと精度が鍵です。
もう一つの大きな課題は、分子導入です。編集した分子を必要な細胞にどうやって入れるか、という壁です。ラボでやるのは比較的簡単ですが、ヒトや木などの植物に対してそれを行なうのはかなり難しい。

科学の発見に求められる気質

——クリスパーに直接は関係ありませんが、現在、世界を大混乱に陥《おとしい》れている新型コロナウイルス感染症で、アジア人と欧米人でこれほど死亡率が異なるのはなぜでしょうか。二〇一二年にノーベル生理学・医学賞を受賞した山中伸弥氏は、アジア人の死亡率が低い要因を「ファクターX」と呼んでいますが、遺伝的要素が関係していると思いますか。

ダウドナ　ファクターXが行動に影響を与えているという意味であれば、そうだと思います。率直にいって、アジアの国の人は最初からパンデミック（世界的大流行）への対策に真剣に取り組んでいました。マスク着用やソーシャルディスタンスといった基本的な公衆衛生対策について、厳格に実行していた。残念なことですが、アメリカやヨーロッパ諸国ではそういったガイドラインが守られていませんでした。それがひどい結果につながったと思います。

――あなたのように科学者として成功するには、何が必要でしょうか。

ダウドナ　Gosh!（参ったな）。本当にstubborn（頑固）であることは役立つと思います。科学者の成功に求められるのは、自分の信じるアイデアがあってその答えを見つけたいときに、一心にのめり込む性格です。ラボでやる研究の多くはうまくいきません。おそらく私がやった実験の九割は、よい結果が出ていません。科学における成功の多くは、粘り強さによってもたらされます。

――私がインタビューしてきた多くのノーベル賞受賞者や科学者に共通していたのは、自信があったことです。根拠のない自信でもいい。

ダウドナ　そのことは長い期間をかけて学びました。私は大学院生のとき、自分の指導教官がなぜいつもいいアイデアを思いつくのか、またそのアイデアがどうしてうまくいくのか、考えていました。しかしその答えは、結局はうまくいくかどうかわからないということです。自分の勘を信じるしかない。何かうまくいきそうな気がするという自信です。そうした自信をもって、研究を続ける意志があるかどうかです。

――理論物理学者であるハーバード大学のリサ・ランドール教授にインタビューしたとき、彼女は女性であることで強い性差別を感じてきたといっていました。あなたはそのような性差別を感じたことはありますか。

ダウドナ　あまり感じていません。その点、私はとてもラッキーでした。これまでずっと、素晴らしい恩師に巡り合ってきた。私はハワイで育ちましたが、公立学校に通っていました。すべての教師がよかったかどうかはともかく、十分よい教師のもとで学べた。のちに科学者として訓練を受けた際も、幸運にも偉大な恩師の方々に巡り合いました。その恩師には男性も女性もいましたが、とても私には有益でした。

とはいえ、キャリアが進むにつれて、女性に対する「ガラスの天井（女性が昇進しにくいことの比喩）」と呼んでもいいような壁をみてきたと思います。私はこの偉大な大学で終身在職権をもつ教授ですが、周りをみると、女性が同じ地位に就くのは男性よりも難しい。ビジネス界でも同じ状況でしょう。経営者には女性は多くありません。ですから、女性がそのコミュニティに入るのはまだチャレンジです。

——私がコーネル大学で化学を専攻していたときも、女性は少なかった。昨年、あなたを含む二人の女性がノーベル化学賞を受賞したニュースは、ガラスの天井を破るのに役立つかもしれませんね。

ダウドナ　そう願っています。ノーベル化学賞を受賞したとき、世界中の女性から純粋に喜びを表したメールが届きました。「自分たちがやってきたことは正しい」「いつかこのような賞を受賞するのは自分かもしれない」という気持ちを多くの女性に与えたいと思います。

Chapter 2

「人生200年時代」の到来

生活習慣を変えれば、健康寿命は延ばせる

老化の研究や理解はまだ黎明期とはいえ、ひと昔前と比較すると劇的な進歩をとげている。マウスでの実験ではあるが、一回のリセットで眼球や網膜の再プログラム化ができ、視力を回復することができるというから、革命の一歩手前と言っても過言ではない。

三十年前から老化研究に心血を注いできたデビッド・シンクレア氏は、「老化の多くは遺伝子ではなく、いかに生きるかである」という。いかに生きるかが、遺伝子のスイッチのオン・オフに影響を与えるので、彼自身は最も健康的な生活を実行しているという。老化防止は人類が月に行くことよりも重要であるというのは皮肉に聞こえるが、反論するのはかなり難しい。

David A. Sinclair

デビッド・A・シンクレア

科学者・起業家

ハーバード大学医学大学院教授。老化の原因と若返りの方法に関する研究で世界的に知られる。『タイム』誌による「世界で最も影響力のある100人」（2014年）や、「医療におけるトップ50人」（2018年）にも選出されている。著書（邦訳）『LIFESPAN（ライフスパン）　老いなき世界』（東洋経済新報社）は日米でベストセラーとなった。

人生の時計の針を戻す術

――あなたは、老化は病気の一種であり、治療できる、と述べていますね。

シンクレア　理論的にはそうです。

――そもそも、老化研究はどこまで進んでいるのでしょうか。

シンクレア　かなり進んでいますが、まだまだ先は長いでしょう。私は、不老不死や老化を治す方法を解明したと言っているのではありません。老化を引き起こす原因と、その進行を減速させる方法についての理解が劇的に進んだということです。遺伝子治療に関する最近のブレークスルー（飛躍的進歩）のおかげで、人生の時計の針をリセットすることができるようになった。すなわち「age reversal（年齢の逆行）」です。

――まさしく革命ですね。

シンクレア　まだ揺籃期《ようらんき》ですが、この研究が正しければ革命になります。飛行機に喩《たと》えると、ライト兄弟のように、空を飛べることを発見したような段階です。本当に人生の時計の針を戻すことができるなら、どういう未来が待ち構えているか、考えるだけでワクワクします。

――いま、具体的にどういった研究に取り組んでいるのですか。

シンクレア　たとえば、眼球や網膜の再プログラム化です。一回のリセットで、高齢のマウスの視力を回復することができます。もし再プログラム化が身体全体で成功すれば、一〇〇回ほどリセットして身体機能を戻すことが可能になります。医療史上、新たな段階が始まることになります。課題は、理論が正しいことを証明して、身体全体に効果がある薬をつくること。人間が永遠の生存を夢見ることはできますが、その前にやるべき課題はたくさんあります。

老化の情報理論とは何か

――老化に対する理解が劇的に進んだとのことですが、あなたは研究を何年前からしていますか。

シンクレア　三十年前からです。当時は老化研究の暗黒時代でした。ところが二十年ほど前に、ブレークスルーが起きた。老化プロセスをコントロールする遺伝子の存在が判明したのです。また十年ほど前には、生活環境や生活様式が老化プロセスをコントロールし、長寿遺伝子のスイッチをオンにすることがわかりました。これはたいへんエキサイティングなことで、この発見によってどう老化が進み、なぜ老化が起こるのかを理解できたわけです。これらの知見が、私が提唱する「Information Theory of Aging（老化の情報理論）」につながっているのです。

――どういう理論ですか？

シンクレア　老化の原因を引き起こす根本的な要因についての理論です。老化には、科学者が「老化のホールマーク」と呼ぶいくつかの特徴があります。ミトコンドリアの機能不全、代謝調節不全、分裂をやめる幹細胞、細胞の老化などです。これらの要因も重要ですが、もっと重要なのはそれらを引き起こす原因は何かということです。

——その原因とは何ですか？

シンクレア　私が長年の研究を重ねて至った結論は、老化は身体情報の喪失《そうしつ》によって引き起こされる、ということです。それは堅牢《けんろう》な遺伝子情報ではなく、エピジェネティクス情報（DNAの配列変化によらない遺伝子発現を制御・伝達するシステム）と呼ばれるものです。つまり、細胞が適切な遺伝子を適切なタイミングで読み取ることを可能にするシステムですね。この能力を失うと時間の経過とともに病気になります。

人間はエクササイズをしたり、健康的な食事をしたりすると、エピジェネティクス情報を失うプロセスを減速させることができます。われわれは、細胞を再プログラム化することで、細胞内に若さのバックアップコピーと言えるものを発見しました。若いときの情報が、まるでハードディスクのように細胞に組み込まれています。それを再起動することで、細胞が若いときの遺伝子を正しい方法で読み取れる状態に戻れるのです。

iPS細胞研究との関係性

――まるでSF小説のような話ですね。

シンクレア　まさにそうです。私の研究室にいるユアンチェン・ルーという優秀な大学院生は、このような細胞の再プログラム化が眼球で実行できることを発見しました。視力が回復したデータが彼から送られてきたとき、私は当初、信じられなかった。一生に一度あるかないかの革新的な発見です。

――再プログラム化は、眼球以外の身体の各部位で行なえるのですよね。

シンクレア　眼球以外にも、たとえば肝臓でも可能です。遺伝子治療は、山中因子《やまなか》（iPS細胞を樹立するのに必要な四つの遺伝子）のうち三つの遺伝子と、体内にある遺伝子を組み合わせて行ないます。われわれはその安全性を確認するために、まずマウスでテストを行なっています。一年間テストを継続していますが、がんが発生する事例は出てきていません。いまのところ、安全性を担保していると言えます。われわれは、緑内障の薬を作る会社をすでに立ち上げました。この遺伝子治療はマウスの緑内障に有効であるとわかっていますから、成功すればそれが最初の薬になります。

――ノーベル賞を受賞した山中伸弥氏（京都大学iPS細胞研究所所長）の研究が、老化のサイエンスに大きく貢献しているのですね。

シンクレア　そうです。私の研究は、彼の肩に寄りかかっています。山中氏は細胞の年齢をゼロに戻す研究をしていました。しかし、われわれが求めているのは細胞の年齢をゼロにすることではなく、少し若返らせる方法です。ですから、部分的な再プログラム化にとどめています。それが実現するだけでも、細胞を若返らせることができます。

老化の進行は生活習慣で決まる

――私は、サンフランシスコのある検査会社に、自分の遺伝子を解析してもらったことがあります。すると、長寿遺伝子があることがわかりました。

シンクレア　それはすごいですね。私の家族にはありません。糖尿病と肺がんと肥満になりやすい遺伝子があり、私の家系はほとんど七十代で亡くなっています。ですから私は、自分のライフスタイルを変えないかぎり、長生きしない運命にあります。私の父親は八十歳ですが、家族でいちばん長生きです。いままで病気には一度もかかっていません。

――あなたの父親は、何か特別な健康法を実践しているのですか。

シンクレア　彼も私と同じ科学者です。私の研究の有効性を理解して、同様の方法で長生きをしようとしています。エクササイズも日課で、五十歳の私よりもはるかに筋力があります。

――すごいですね。老化研究がさらに進めば、遺伝的素因（親から子へ受け継がれる遺伝的因子の総体）を克服することができると思いますか。

シンクレア　できると思います。老化の多くは遺伝子ではなく、いかに生きるかです。拙著“Lifespan: Why We Age-and Why We Don't Have To”（邦訳：『ＬＩＦＥＳＰＡＮ』東洋経済新報社）でのメッセージは「our longevity is in our own hands（自分の寿命は自分の掌中《しょうちゅう》にある）」です。遺伝子を変えることはできませんが、エピジェネティクス情報は変えられます。

――ライフスタイル。つまり、遺伝子のスイッチをオンにしたりオフにしたりすることですね。

シンクレア　はい。どのような生き方をするかで、そのオンとオフが切り替わり、老化の進行度が決まるということです。

一日三食も必要ない

――老化について熟知しているあなたは、実際にどのような生活を送っているのですか。

シンクレア　最近は健康にますます注意を払うようになっています。二十代のころは、食事の量を抑える「沖縄ダイエット」をしたことがあります。当時は若かったこともあり、続きませんでしたが（笑）。いまは一日二食で、朝食はとりません。最近はランチをとらないことも多く、食べるとしても低カロリーのものだけです。

――日本では一日三食が健康の基本だと教わります。あまり食事をしないほうが健康に良いということですか。

シンクレア　すべての人が実践できるアドバイスがあるとすれば、食べる回数を減らすことです。一日三食も必要ありません。サーチュイン遺伝子という長寿遺伝子は、空腹で瘦《や》せていないと活性化されない。エクササイズはその遺伝子のスイッチをオンにします。身体を「complacency（現状満足状態）」から脱出させないといけません。医学用語では「hormesis（ホルメシス：毒物が毒にならない程度の濃度で刺激効果を示すこと）」と言いますが、身体は殺さない程度に刺激すると強くなります。

階段を歩いて上ったり、デスクの前で立って仕事をしたり、食事を抑えたりすることで、身体はサバイバルに対する脅威を覚えます。それと戦う要素が、老化や病気から私たちを守ってくれるのです。

——日本は男女の平均寿命が八四・四歳（ＷＨＯ調査、二〇一九年）と、世界一の長寿大国です。ただ、長生きすればいいというものではなく、健康に生きたいものです。

シンクレア　老化を減速させれば、心臓病、がん、糖尿病、アルツハイマー病など、あらゆる疾病の進行を遅らせることができます。われわれのアプローチの目的は、健康寿命を延ばし、その後、病気になったとしても数週間で死んでいく、そんな人生です。

現代医学の矛盾は、もぐらたたきゲームのように、病気の治療がその場しのぎになっていることです。一つの病気にかかれば薬を投与し、違う病気になれば、また別の薬で治療する。その繰り返しは、われわれを死の淵に追いやるわけです。もちろんその淵に防護柵を作る必要がありますが、その前に、根源的な老化についてもっと取り組まなければなりません。

——高齢になってもボケないために、脳を活性化させるベストな方法は何でしょうか。

シンクレア　心を落ち着かせて、ストレスをためないことです。脳をひどく興奮させると、老化を加速させます。瞑想《めいそう》をして精神を整えることや、記憶力を鍛えることも、老化防止につながります。

われわれはいま、エクササイズをしないでそれと同様の効果を与える薬を開発しています。私の安静時における一分間の心拍数は四〇台の中間で、マラソン選手並みです。これはおそらく、私がその薬を飲むことで、エクササイズが健康に影響を与える遺伝子のスイッチをオンにしているからでしょう。同じことを高齢のマウスに実施すれば、疲れることなく、通常の倍の距離を走ることができます。

人間の寿命はどこまで延びるか

――著書のなかで、「人間の寿命に上限はない」と書いてありました。どういうことでしょうか。

シンクレア　人間がおよそ八十歳で死ななければならない生物学的法則はありません。われわれより長く生きる生物はたくさん存在します。最も長寿の生命体である木は、何千年も生きられますが、その遺伝子の半分はヒトと同じです。数百年の寿命をもつニシオンデンザメの遺伝子も、ヒトと非常に類似している。人間と同じ哺乳類のホッキョククジラも、二百年以上生きられます。

長く生きる動物と同じ要素を人間に与え、体内にある長寿情報の喪失を減らして老化を防げばいいのです。もしわれわれがそれを維持できれば、二百歳まで生きることができるでしょう。それは決して不可能ではないのです。

――「人生百年時代」といわれますが、二百年まで延びるかもしれないとは驚きです。そんな画期的な老化研究を進めるうえで、最大の障害は何でしょうか。

シンクレア　一つは、政府がこの老化研究に多くの研究費を投入しないこと。もう一つは、いま製造している薬に副作用を伴う危険性があることです。まだそれはあらわれていませんが、がんが発生するリスクもゼロとは言えない。私は安全性を重視しているので、薬が危険か安全かをまず知りたいと思っています。この薬は世界中の何十億人もの人に使ってほしいですが、リスクはゼロでなければいけません。しかし、リスクのない薬を作ることは非常に困難であるのも事実です。

――人の老化について、皮膚を見ると皺《しわ》の多さがわかるので、おおよその年齢がわかると言われていますね。

シンクレア　皮膚の調子は、健康全体のよい指標になります。皮膚は身体全体を包む最も大きな臓器とも言える。ただし、日光に長時間曝《さら》されることによって老化が加速するため、完全な指標ではない。健全な食生活を維持して適度なエクササイズを続ければ、皮膚の状態は以前よりも改善します。

重要なのは、生物学的年齢です。これは実際の年齢とは切り離すことができます。血液サンプルを採って検査すれば生物学的年齢がわかり、いつごろ死ぬかを測れる。老化はエピジェネティクス情報の喪失によって生じるため、測定が可能なのです。そしてわれわれが研究している治療法は、その時計の針を戻せるのです。

――実年齢ではなく、生物学的年齢を知ることが大切なのですね。

シンクレア　自分の生物学的年齢を知れば、適切な生活を送ることで、時を刻む速さを遅らせることができます。血液からわかる生物学的年齢は、運命として定められているわけではなく、変えられるのです。これはとても重要なことです。

適度な運動と社会貢献で老化を防げ

――老化を遅らせる最も重要な要素は何でしょうか。

シンクレア　私が実践しているように、肥満にならないようにエクササイズをすることです。やりすぎは関節を痛めるので、マラソンのような激しい運動をする必要はありません。毎日十分程度は階段を使うとか、座り続けずに時折立って作業をするとか、忙しくてもできることはあります。

――身体以外に精神面の健康においても、長生きするコツはありますか。

シンクレア　複数のキャリアをもつことです。五十歳で訓練を受けてキャリアを変えたり、新しい言語を学んだりするのも良いでしょう。私の父親は八十歳になってから、シドニーの大学で新たな仕事を始めました。彼は非常に生産的な人生を送っていて、以前よりも幸せにみえます。自分が社会のために役立っていると感じることが重要です。

――とはいえ、年を重ねて体力がなくなってくると、新しいことを始めるやる気が落ちてきますね。

シンクレア　われわれが開発する薬によって体力を取り戻し、精神的にも良い効果をもたらして、好循環を生みだせれば嬉しいですね。

日本でも老化学の研究は進んでいます。NMN（ニコチンアミド・モノヌクレオチド）は抗老化効果があるとされる成分で、日本で開発されました。マウスに投与すると、いろいろな臓器に存在するNAD（ニコチンアミド・アデニン・ジヌクレオチド）が増大し、この分子が長寿に関係する「サーチュイン遺伝子」を活性化することがわかっています。

――医療の進歩はとどまるところを知らない。いつか不老不死が可能になる時代がくるかもしれません。

シンクレア　人間の老化と健康は、われわれのコントロール下にあります。いまの生活を変えることで将来の老化の進行が決まる、と言っても過言ではない。あなた次第なのです。

現在の医療のように、病気になってから治療を施《ほどこ》すのでは遅すぎます。高齢になって病気になり、誰かの世話が必要になってくると、社会が機能しなくなってしまう。健康寿命を延ばすことで、高齢者がコミュニティに貢献し、若い世代に知恵を伝授することが大切です。

国民の多くが健康になれば、国全体が裕福になる。そのためには、研究費の増加や法整備の充実といった政府の後押しも不可欠です。老化を防止することは、人類が月に行くことよりも重要だと思います。

Chapter 3

「目に見えない」宇宙の秘密

ダークマター、恐竜絶滅、人類の進化

理論物理学と言えば、日常からかけ離れたブラックホール、ダークマターという宇宙に関する言葉が真っ先に出てくるが、われわれ凡人の固定観念をことごとく破壊するほど、頗る興味深い分野である。恐竜絶滅の話はもとより、人類の進化、生命とは何か、という根本的なテーマにまで深く関係している。

リサ・ランドール氏は宇宙の仕組みを理論物理学で解明するという、気が遠くなるような深遠な研究に没頭しているが、一般人からみるとやはり、関心があるのは地球外生命体であろう。理論的にはその存在は証明されていると言ってもいいが、実際に目撃できることがあるのか、これは誰もが関心を持つことだと思う。

Lisa Randall

リサ・ランドール

理論物理学者

ハーバード大学物理学教授。素粒子物理学および宇宙論を研究している。米国科学アカデミー、アメリカ哲学会、アメリカ芸術科学アカデミーのメンバー。著書（邦訳）に『ワープする宇宙』『宇宙の扉をノックする』『ダークマターと恐竜絶滅』（以上、NHK出版）がある。

すべては原子から成るという固定観念

――ランドール教授は理論物理学が専門ですが、宇宙の研究において頼りになるのは、自らの頭だけなのでしょうか。たとえばハドロン・コライダー（ハドロン衝突型加速器）などの実験装置は使用しますか。

ランドール　私の研究にはハドロン・コライダーは必要ですが、実際には他の研究者が実験をして測定データを出してくれます。純粋に理論的な仕事をするだけの理論家もいます。私の研究の多くは、その測定されたものを対象としており、その存在を予測する方法を見出し、それらの測定結果から解釈できうる理論（仮説）を打ち立てることです。

――では、宇宙最大の謎の一つとされる「ダークマター（暗黒物質）」について教えてください。文字どおり、ダークマターとは目に見えない物質のことらしいのですが、われわれの知覚の常識に反しているように思えます。これは理論上存在している物質のことである、と理解すればよろしいですか。

ランドール　その言い方は正確ではありません。われわれは、実際に自分の目で直接見えるものだけをリアルなものとして考えがちです。しかし、自分の目といっても、たとえば大野さんはメガネをかけていますよね。その場合、メガネのレンズを通して入ってくる映像を脳が処理して見ているわけです。必ずしも物質を直接見ていることにはなりません。

同様に、ダークマターは宇宙にある物質の一種ですが、光を放出することも吸収することもないため、直接目で見ることはできません。現時点でわかっているのは、ダークマターと通常の物質が、重力を通じて相互作用するということだけです。われわれができるのは、その重力による相互作用の証拠を「観測（observe）」するということです。

宇宙に一定量のダークマターが存在するという仮定によって、恒星、銀河系、銀河団の動き、さらにはビッグバン（宇宙の始めの大爆発）から派生する宇宙マイクロ波背景放射（天球上の全方向からほぼ等方的に観測されるマイクロ波。ビッグバン理論を裏付ける有力な証拠とされる）などの現象をうまく説明できるのです。ダークマターの存在によって、それらがすべてうまく整合し、そのことがまさにダークマターの証拠と言えるわけです。そういう意味で、暗黒物質を見たといっているのです。

――目に見えないが、たしかに存在するダークマター。ダークマターによる重力効果がなければ、宇宙は現在のような姿になっていなかったというのは、頭では理解できます。しかしそれは、われわれがよく知る万有引力の法則から導かれたいわば究極の推論であって、にわかに信じられないという人もいるでしょう。

ランドール　ここで捨てるべきは、すべての物質は原子で成り立っているという固定観念です。これはある種の傲慢《ごうまん》な考えです。そもそも、われわれ人間は、宇宙にあるものすべてが既知のもので成り立っていると思い込むほど、全知全能なのでしょうか。宇宙を構成する未知の物質には原子（や原子を構成する素粒子）以外から成り立つものがあるかもしれません。こういう新しいタイプの物質観はそれほど奇抜なものではないでしょう。

――目に見えないもの、あるいは知らないものを「存在しない」と思い込む傲慢さは、脳の限界から来るものですか。

ランドール　そうですね。ある意味で脳に限界があるからですが、それは脳というよりも、われわれの感覚に限界があるからです。必ずしもわれわれが検知できない仕方で相互作用する物質が宇宙には存在するということです。

――一九一六年にアルベルト・アインシュタインが存在を予言した重力波は、大規模な物理学実験を行なう施設の重力波望遠鏡ＬＩＧＯ（ライゴ）において二〇一六年、世界で初めて検出されました。一方、ダークマターについては、実際に検出することはやはり不可能でしょうか。

ランドール　ダークマターの正体が何かによります。通常の物質のように、少しでも光と相互作用すれば観測することができますが、それがなければ不可能です。先ほど、私が「観測」したといった意味は、ダークマターの存在による影響（重力効果）であり、粒子から構成されるものを直接観測したわけではありません。これは、隣の部屋で遊んでいるのが十四歳のハリーである、ということまではわからなくても、実際に人間がいることはわかっている、という喩えに似ています。ダークマターについても、それが何であるかを直接見てはいないが、あることはわかっている、ということです。

恐竜絶滅の原因となった彗星の衝突

――ブラックホール（大きな恒星が燃え尽き収縮してできた見えない天体。強い重力のため物質も光も脱出できない）もその特性上、直接観測することはできませんね？

ランドール　直接的な観測ができないという点においては、ブラックホールもダークマターも同じですが、両者の性質はかなり異なります。

ブラックホールは、大きな星が崩壊してできた超高密度で大質量の物体です。直接観測できないので、ほかのものとの相互作用を通して間接的に観測が行なわれます。たとえば、われわれはブラックホールの周囲を高速で回転している星を観測することができます。ブラックホールを取り巻く降着円盤（ガスやチリから成る円盤状の構造体）の代わりに、まさにブラックホールに吸い込まれるものを観測できるわけです。また、ブラックホールの地平面を見つけようとしている人もいます。ブラックホール同士が接近すると膨大な重力波が発生するため、その重力波を通してブラックホール融合を観察することもできます。そういう意味で、ブラックホールを見たといっているのです。

――著書『ダークマターと恐竜絶滅』で説かれているのは、ダークマターこそ恐竜を絶滅させた原因であるという仮説です。この仮説には、どうやって行き着いたのでしょうか。

ランドール　私と共同研究者は、ダークマターの一部が寄り集まって円盤化（ダークマターディスク）し、天の川銀河の円盤内に収まっていること（二重円盤モデル）、また太陽系がこのダークマターの円盤に近づくと、重力場の違いによる潮汐力《ちょうせき》によって外側の彗星が弾き出されて地球に飛んでくることがある、と考えてきました。他方、地質学者と古生物学者による多くの観測で、六千六百万年前に巨大な彗星（流星物質）が地球に衝突したことによって、恐竜を含む地球上の七五％以上の生物が死に絶えたことが裏付けられてきました。すなわち、私たちの考えが正しければ、恐竜絶滅の原因となった彗星の衝突は、天の川銀河の中央平面にあるダークマターディスクによる重力の影響だったということになります。

このモデルを私に示したのは、アリゾナ州立大学の物理学者であるポール・デイヴィスです。二〇一三年十二月に行なわれた年次講演会に招かれたときのことですが、私はそれまで恐竜の絶滅のことなど考えてもいませんでした。地球上には、直径が二〇㎞を超えるクレーターが二〇以上確認されていますが、流星物質の衝突には三千万年とか三千五百万年とかの周期性があるようなのです。この流星物質の周期性もダークマターの存在と関係があるかもしれません。

大きな疑問が人類の進化にもつ意味

――“Sapiens: A Brief History of Humankind”（邦訳：『サピエンス全史』河出書房新社）の著者であるユヴァル・ノア・ハラリ氏（ヘブライ大学歴史学部終身雇用教授）にインタビューした際、彼が人類の創造と進化についていかに大局的に考えているか、あらためて知り、感銘を受けました。一方でランドール教授はさらにビッグ・ピクチャー（大局的視点）で物事を捉えていますね。人類がいかにしてここに至ったかを考える場合、生物学的な視点だけでなく、宇宙の謎に果敢に挑んでいくランドール教授のような存在が不可欠だと思います。

教授の科学的知見に世界が期待しています。

ランドール　ありがとうございます。実際に、そのような大局的な視点を『ダークマターと恐竜絶滅』には込めたつもりです。また、私もハラリ氏の『サピエンス全史』を読みましたが、とても気に入っています。

研究者として小さな疑問にも集中しなければなりませんが、より大きな疑問をつねに念頭に置くようにしています。さらにいえば、そうした大きな疑問が人類の進化にとってどういう意味をもつかを考えることも重要です。

――では、いまランドール教授にとって大きな疑問は何でしょうか。

ランドール　それはいい質問ですね。いま私は観測の意味合いを理解しようと試みています。それは基本的なことでもあり、また私の貴重な情報源でもあるからです。たとえば、最新の重力波測定望遠鏡からどれだけのことを学ぶことができるのか。それが実際にどのように機能するかについて、われわれはまだよく追究できていません。

そのほかにも、大きな疑問をたくさんもっています。一つは、宇宙のインフレーション（初期の宇宙が指数関数的な急膨張を引き起こしたという進化モデル）についての疑問です。急膨張がどのようにして起きたのか、物質がどのようにして創造されたのか、ダークマターの正体、ダークエネルギー（暗黒エネルギー）の正体、ヒッグス粒子（宇宙が誕生して間もないころ、他の素粒子に質量を与えたとされる粒子）はなぜもっと重くないのか……。こうした大きな疑問は、折に触れて何度も私の頭に巡ってきます。

――重力については、人間はほとんど理解している、といっていいのでしょうか。

ランドール　重力の機能的な作用については理解しているといえます。おそらく基本的なレベルでほかに何かが起きているのでしょうが、それが何かはまだわかっていません。

――高校で教師が重力について授業をする際は、まるで完全に理解しているような教え方をしますね。

ランドール　そのとおりです。教師は重力がどのように作用するかを生徒に教えます。ところが、基本的なレベルにおいて、その力とは何かを教えてはくれない。人に喩《たと》えると、その人が誰であるかは認識していても、その親の素性《すじょう》を知らなかったり、出身国を知らなかったりするのと同じです。何かを知っているといっても、異なるレベルがあるのです。

――一般の人のほとんどは科学については「初心者」といえます。学校教育で教わった以上の知識をもっている人は少ない。理論物理学の難解な事象を彼らにどうやって説明するのでしょうか。

ランドール　まず、私はそういう人たちに「あなた方は本当に難解な宇宙の仕組みについて知りたいのか」と尋ねます。これらを理解するには、かなりの努力が必要だからです。いくつかのことは数式を用いて定量的（quantitatively）に説明できますが、詳細な理解には限界があります。興味深いのは、一度関心を示した人は詳細を熱心にフォローできるようになる、ということです。理論物理学の事象をきちんと説明するには時間と努力が必要ですが、そんなときは教える側も報われます。

――圧倒的に男性が多い物理学の世界において、ランドール教授は数少ない女性の学者といえるでしょう。女性であることで壁を感じることはありませんか。

ランドール　女性であることが明らかに影響することがあります。数年前に亡くなったスティーヴン・ホーキング博士の埋葬式に私が少し遅れて到着したとき、もともと決まっていた私の席には誰か別の人が座っていました。仕方なく物理学者だけに指定された座席番号が記されたチケットを関係者に見せると、私が女性であるのを見て、「Who are you with?（どの大学の誰と一緒なの?）」といわれる始末でした。物理学者は男性でなければならないという姿勢をそのとき明らかに感じました。

女性は物理学を専攻しないという思い込みがあります。資金調達などの援助が必要な場合でも、女性であることで男性よりもより厳しい困難に直面することは間違いない。目を見張らせるほど優秀な女性物理学者も世界にいますが、おそらく彼女たちもこれまで大きな壁にぶつかり、それに向かって戦わなければならなかったことでしょう。

地球外生命の存在は否定できない

——宇宙というと、一般の人々はエイリアン（alien）をイメージするかもしれません。思い切って尋ねますが、ランドール教授はエイリアンの存在についてどのように考えていますか。

ランドール　私がツイッターで意見交換をしていたとき、誰かがエイリアンのことを「planetarian」と呼んでいました。そのほうがエイリアンよりも、的確な表現だと思います。「planetarian」は、ほかの惑星に存在しているbeing（人）という意味です。

——ではその「planetarian」の存在について、何か結論に達しましたか。

ランドール　いかにしてその存在を突き止めたらいいのか、その方法がわからない、というのであれば理解できますが、「そのような生命体が存在するはずがない」などと考える理由は、私にはまったくわかりません。現在、他の生命体の探査方法はいろいろありますが、何を探すべきかを正確に理解していないと、それが見つからないことが往々にしてあります。もちろん、われわれがそれを見つけるのは非常に難しいと思います。だからといって、見つけようという努力をすべきでない、ということではありません。

――「planetarian」のほうがわれわれを探しているかもしれませんね。

ランドール　そうかもしれませんね。ただ、われわれが存在しているという適切なシグナル（信号）を外に向けて発信しているとは限りません。だから、彼らからわれわれは見えないでしょう。もっと賢明な方法を模索すべきですね。

――「planetarian」が存在するかどうかを突き止めるために、われわれには何が必要でしょうか。

ランドール　現在、世界中の科学者がそれについて研究しています。たとえば、電磁信号をデジタル信号として検知する方法が考えられるでしょう。それは非常に幅が狭い波長の信号ですが、それにはそう簡単に説明できないさまざまなパターン、異なる化学物質や大気の情報を乗せてある。地球外生命体が存在するかしないのか、その差を生み出すものは何かについて、初めに見つけ出す必要があります。ただし、それにはたいへんな努力が必要です。

――仮に「planetarian」が存在することがわかったとしても、〝彼ら〟に人類が遭遇できるかどうかは、また別問題ですよね。宇宙船で会いに行くのか、あるいは〝彼ら〟のほうから来てもらうのか……。実際には不可能ではないでしょうか。

ランドール　絶対にない、とは私はいいません。将来何が起こるかわからないからです。そのためのテクノロジーが開発されるかもしれません。ただ皆さんが期待するような劇的な遭遇ではなく、たとえば人間とは対話できないアメーバのようなものかもしれません。

――「planetarian」について、ランドール教授自身は探し当てることに関心がありますか。それとも専門分野外のことでしょうか。

ランドール　厳しい環境に存在する地球上の生命のことですら、明らかになっていないことがまだたくさんあります。そもそも、われわれがいま生命として理解しているものだけが生命なのか。地球外には、ほかにも生命の「種類」があるのかもしれない。これらは本質的で大きな疑問であり、ほんとうにワクワクしますね。

Chapter 4

人類は「自己家畜化」に陥っている

ヒトは自ら築き上げてきた文化によって、進化を繰り返す

ヒトが現在のヒトになった過程を見るには「進化」の視点から見なければならないが、一口に「進化」と言っても研究者によって、その見方は変わる。ジョセフ・ヘンリック氏の場合は、「自己家畜化」という視点であるが、一見逆説的なこの見方で、最近特に進んでいるデジタル化も進化のプロセスの一部として説明できるから脱帽するしかない。

本書の最初に登場するジェニファー・ダウドナ氏の開発したゲノム編集についても、氏は「文化―遺伝子共進化」の長いプロセスから見ると、特に「人工的に」なっているとは思わないという。人類は二百万年前に「自然から人工的」へ、その境界線をとっくの昔に越えていたのだ。

Joseph Henrich

ジョセフ・ヘンリック

人類学者

ハーバード大学人類進化生物学教授。ブリティッシュコロンビア大学心理学部教授および経済学部教授。著書（邦訳）に『文化がヒトを進化させた 人類の繁栄と〈文化－遺伝子革命〉』（白揚社）がある。

なぜヒトだけが文化を形成できたのか

——ヒトは他の動物に比べてあらゆる点で「優れている」とわれわれは考えがちですが、あなたの著書“The Secret of Our Success”(邦訳『文化がヒトを進化させた』白揚社)を読むと、個々の能力では、他の動物と比べていかに無力かを痛感します。本書ではヒトは文化を形成しているがゆえに集団としては強い、と述べられていますね。どういうことでしょうか。

ヘンリック　この本で主張したのは、ヒトの種としての成功の秘密は問題を解決する個々の能力ではない、ということです。人間は厳しい環境に取り残されたとき、食べ物を見つけたり、外敵から身を守る逃げ場所をつくったりといった他の種ならばできる基本的なことさえも、容易ではないことがあります。何百万年もかかって進化した大きな脳を備えていたにもかかわらず、人類はある時期の厳しい状況下で生き残ることができなかった。

そこで、ヒトがいかにして北極やコンゴ、アマゾン川流域のような危険な場所で暮らしてきたかを調べると、先代から受け継がれた膨大《ぼうだい》な文化的情報に頼って生き延びていることがわかりました。道具のつくり方や食べ物の見つけ方、料理の仕方や薬草の見つけ方などについての情報です。

ヒトは前の世代から行動様式を学んで改良し、新しいアイデアやテクノロジーを次世代に伝えることで、何世代にもわたって適応してきました。そして数世代を経て、遺伝的なものとは違う適応情報をもつようになる。これが遺伝上の進化と並行して、第二の継承システムをつくるのです。

――つまりヒトは、世代を経るごとに賢くなっていくということですか。

ヘンリック 文化の伝播《でんぱ》によって、われわれは環境に応じてうまく適応できるようになったということです。それによって、われわれはさまざまな問題を解決し、新しい技術を獲得してきたのです。

さらに、汎用知能と考えてもいいものを人間はもっています。滑車《かっしゃ》やバネは、それを使っていろいろなものをつくる手助けになります。でもそれらを発明するのは一筋縄ではいかない。

たとえばホイール（wheel：輪、車輪）が発明されたのは人類史において比較的遅かったのですが、その後、荷馬車に使われ、陶器製造のろくろにも使われます。ホイールそのものを発明するのは難しいものの、利用するのは簡単であり、多方面に活用できる。最終的にホイールのおかげで、水車やギアなどあらゆるものが発明されました。

――そもそも、なぜヒトだけが文化を形成できたのでしょうか。

ヘンリック　「真似る」ことができたからです。ヒトは他人から学ぶことで、文化を手に入れました。何かをするときの運動パターンや体位だけではなく、ヒトがもつ目標やモチベーション、戦略や好みなどを真似ることで、文化を築いていきました。

――霊長類のなかには、ヒトの他にも真似ることを実践する種があると思います。人間の特殊性をどう考えますか。

ヘンリック　たしかに人間以外の霊長類や他の種においても、ある程度の社会的学習をしていることを示す研究はたくさんあります。もし私がチンパンジーで、木の実の割り方を学ぼうとするならば、他のチンパンジーに群がってそのやり方を覚えるでしょう。他の動物にみられるいくつかの習性はそうしたやり方です。

チンパンジーや他の霊長類がヒトよりも優れた社会的学習機能を備えていることを示す実験もありますが、それはヒトがもつ領域には及びません。ヒト以外の動物は厳しい問題に直面したとき、他の動物の行動を真似るよりも、自分の経験を重視します。それはチンパンジーと人間の子供を比較するとよくわかります。

――ヒトの行動や心理を説明する際、「Nature vs Nurture（遺伝か環境か）」という論争があります。本書はその論争に一石を投じたといえるでしょうか。

ヘンリック　本書で決着をつけようとしました。すなわち、われわれは優れた文化的学習者になるために自然淘汰《とうた》され、他人の行動に注意し、情報を統合するように育ってきたということです。それが「文化をつくる」ということの意味です。こうした見方は「遺伝か環境か」について進化論的に考える重要な視点を提供してくれると同時に、このような不毛な二項対立論争に答えを与えるものです。

——われわれはいまでも「遺伝か環境か」という二項対立論争を楽しんでいますね。

ヘンリック　そうです。ヒトが文化に依存していることを理解すれば、「環境」という仮説を文化進化論のアプローチから捉えられます。衣類や調理方法といった文化の産物が、ヒトの脳や身体に遺伝的な変化をもたらしました。この文化と遺伝の相互作用を、私は「文化—遺伝子共進化」と呼んでいます。これは進化論の一つと考えてもいいものです。

ヒトの脳は分業によって拡大してきた

——以前、私はユヴァル・ノア・ハラリ氏にインタビューしたことがありますが、彼は著書『サピエンス全史』で、人類が最も幸福だったのは狩猟採集《しゅりょうさいしゅう》時代だった、と書いています。この考えについて、あなたはどう思いますか？

ヘンリック　その質問に答えるのは非常に難しいですね。昔のヒトはいまよりも働く時間が短く、家族に囲まれて、みんなが密接につながっていました。それらは良い面です。ところが、かつては殺人や収奪が横行《おうこう》し、病気や怪我の際でも薬のない時代ですから、はるかに大きな問題になりました。食料がつねに十分にあったわけでもない。いまはお金さえあれば、スーパーマーケットに行って食料を確保できます。食料が安定しているほうが不安定な状態よりも良いのは間違いないでしょう。

――ハラリ氏はなぜ、狩猟採集時代のほうが幸福だった、と言ったのでしょうか。

ヘンリック　当時は豊かな人間関係を楽しみ、現代よりもシンプルなライフスタイルで、競争やストレスの少ない社会環境だったことが彼の脳裏《のうり》にあったのではないでしょうか。

――今般のデジタル化は、これまでの技術進展とは比べものにならないほど急速に進んでいます。ヒトが文化によって発展してきたのならば、このデジタル化は進化のなかで特異なものといえるでしょうか。それとも、その延長線上にすぎないのでしょうか。

ヘンリック　それについては随分考えてきました。テクノロジーの進化という面からみると、人類はこれまで文化の累積に寄与してきた「集団脳」を使ってきたことが理解できます。新しいアイデアやテクノロジーの創出は、社会の大きさと相互接続性に関係がありまず。われわれがあらゆる交通機関や情報テクノロジーを通してグローバルに接続され、新しいアイデアは既存の考え方を結合し直すことで生まれます。

――デジタルの時代は「真似る」ツールが際限なく増えるため、「真似るユートピア」とも解釈できると思います。しかし、ヒトが自ら考える思考能力が低下するのではないか、との指摘もあります。あなたはどう考えますか。

ヘンリック　じつは、ヒトの思考能力の低下という問題は、はるか以前から起きていると思います。人類は自ら築いてきた文化によって、本来の生物としての特徴を取り換えてきました。

一つ例を挙げましょう。料理で使う火は、基本的に体外での消化を意味します。火を使うことによって食べ物を分解し、たんぱく質を変性させ消化を助けます。結果的に、消化を助ける組織を少なくすることになります。そのためわれわれは、サルがもっているような大きな胃やゴリラのような立派な胸郭《きょうかく》は必要ありません。

さらにいえば、ヒトの脳は分業によって拡大してきました。私は自動車やスマートフォンのつくり方を知りませんが、その情報は他の人の脳に蓄えられています。われわれは個人として無力でも、集団社会として団結することができます。人間は、offload（タスクを他に移すことによる負担軽減）することができる。それが本であれ、ＡＩ（人工知能）であれ、情報テクノロジーといわれるものはみな同じです。人間個人にかかるプレッシャーは少なくなります。

——自分たちが無力だと感じる必要はない。

ヘンリック　そうです。たとえ自分ひとりだけでは知りえない情報でも、インターネットに蓄積されています。

――記憶する必要はないということですね。

ヘンリック　はい、自分の脳にはもっと重要なことを少し入れておけばいいのです。

同性愛は人間特有ではない

――ヒトの文化を考えるとき、本書でも述べられているように「家族」は一つのキーワードです。日本は諸外国に比べて、父親が家長として家族を養う「家制度」の余韻《よいん》が残っていますが、これをどう考えますか。とはいえ、日本でも「夫が働き、妻は家にいる」という慣習は徐々に薄まりつつありますが。

ヘンリック　家族の問題は、先ほど話したヒトの分業に関係しています。ヒトがつがいの絆《きずな》を発達させてきたのは、男女が子供を育てる目的で一緒になるためです。われわれが知るべき文化情報が増えるにつれ、男性はある一つの役割を学び、女性は別の役割を学びました。哺乳類ではオスとメスで果たす役割に違いがあったように、ヒトにおいても例外はなく、女性は子育てや食料採集に勤《いそ》しみ、男性は家から離れて狩猟、移動、物の交換などに従事しました。

私は日本の家制度について詳しく知っているわけではありませんが、家の中は妻の領域で、家の外は夫の領域であるということですね。哺乳類の昔からの分業が、日本ではそのまま継続しているのだと思います。

――LGBT（レズビアン、ゲイ、バイセクシュアル、トランスジェンダー）など、ジェンダーの多様化が進んでいます。ヒトの文化の進化において、「男」と「女」という性差のもつ意味をどう捉えていますか。

ヘンリック　私がハーバード大学で教えているHuman Nature（人間の本質）というコースのなかに、同性間の性行為というテーマがあります。これはヒトに特有の行為ではなく、多くの異なる種でもみられます。性欲を満たすためだけではなく、個人間の絆を築くために、ある種のオープンな行動を同性間で行なってきたように思います。

――同性愛は人間特有のものだと思っていました。

ヘンリック　いえ、幅広い種で確認されています。人類に最も近いとされているボノボはとくに有名で、多くの同性間の性行為がみられます。メスは「同盟」を築くためにそれを活用するようです。

――それほど一般に行なわれていることを、われわれは行動様式として受け入れてこなかったということでしょうか。

ヘンリック　現代社会におけるホモセクシュアリティに対する反動は、カトリック教会の宗教的背景に根差した西洋文化の拡大からきています。カトリック教会が同性愛を非難し、それがしばらく西洋文化に吹き込まれてきました。しかし最近は、明らかに潮目が変わりつつあるといえるでしょう。

人類の「自己家畜化」

――アンドロイド、自動運転、そしてゲノム編集（遺伝子を改変する技術）など、科学の進歩はとどまるところを知りません。人類は「パンドラの箱」を開けてしまったといえるでしょうか。

ヘンリック　ゲノム編集について考える際、言えるのは、すでにヒトは一種の淘汰《とうた》を続けてきたことです。人類は、自分たちの集団として求められる条件について、昔からかなり厳しかった。いくつかの狩猟採集民族が罪を犯した人や配偶者をもたない人を処刑してきたように、社会的淘汰をわれわれはずっと行なってきました。

拙著でも述べているように、これは人類の「自己家畜化」といえます。イヌや馬を家畜化したように、われわれは他のいかなる類人猿よりも大人しく、従順で、順応性の高い動物です。人類の反応的攻撃性（自らが危険にさらされたときに示す攻撃性）は他の類人猿よりはるかに小さい。チンパンジーやボノボと違って、われわれは必ずしも暴力に訴えることはしないし、自制心をもっています。われわれ人類は、自分の進化をすでに方向づけているといえます。

クリスパー・キャス9と呼ばれるゲノム編集はより意識的にかなり速く進んでいます。普通、選択プロセス（淘汰プロセス）は無意識に行なわれますが、ゲノム編集は人間の望みどおりに選択が行なわれ、その行きつく先もわかっています。

——あなたはゲノム編集に反対ではない？

ヘンリック　慎重にアプローチすべきですが、結局、人間がゲノム編集をやめることはなく、研究・開発を進めると思います。その方法を使うことで、先天性の疾患《しっかん》を排除できることもあるのですから。

——目的次第であるということですね。

ヘンリック　誰もが賛同できる基本的な目的がいくつかあると思います。物議を醸《かも》すのは、眼の色や身長などを選んでデザイナー・ベイビーをつくろうとすることです。それにはかなり慎重にアプローチするべきでしょう。

——どのような注意が必要ですか？

ヘンリック　世界で共有する倫理規定が必要です。進んでリスクをとろうとする国もあれば、そうではない国もありますから。

デジタル化は進化プロセスの一部にすぎない

——二〇一八年末、中国人科学者が世界で初めて、ゲノム編集技術を使った双子を誕生させましたね。

ヘンリック　中国はどの国よりも先に、倫理的に物議を醸す他の実験をするかもしれません。もしヒトの知能に関係する遺伝子を選んだとき、その選択に伴って他の（予期していない）特徴が同時に現れる可能性がある。しかしそれが何かは事前にはわからないのです。

こうした点で最も参考になるのは、ロシアがキツネで行なった一連の実験です。家畜化すべく人間の傍《そば》にいると大人しくなるようにキツネの遺伝子を選択したところ、それに付随する予想外の他の特徴も現れた。一つの遺伝子が一つの特徴のみを決めているわけではなく、発生過程でいろいろな特徴とつながっています。同じように、知能に関する遺伝子を選んでゲノム編集をしたとしても、意地の悪い利己的で非協力的な人間が生まれるかもしれません。

――どんな副作用が生まれるかは、実際にやってみないとわからないということですね。人間で実験をやる必要はあるのですか。

ヘンリック　実際には同じような実験は他の種でもできるかもしれません。家畜化のプロセスでは、関係する遺伝子は他の種でも同じようにうまくいくようです。人間以外で実験をすることはある程度有効でしょう。ただし、ＩＱや学識に関係する人間の遺伝子が、同様に他の動物も賢くするかどうかはわかりません。したがって、他の種での実験は不可能かもしれません。

――われわれは近年、あまりにも「人工的」になっていると思いませんか？

ヘンリック　とりわけ最近そうなってきているとは思いません。人類は「文化―遺伝子共進化」の長いプロセスを経ているという意味で、すでに十分人工的だからです。ヒトには、バネのような働きをするアーチ形状の土踏まずや、伸張性に富む項靱帯《こうじんたい》（頚椎の棘突起と後頭骨のあいだにあり、頭が前にのめるのを抑える役割をもつ弾性線維）があります。こうした特徴はすべて、ヒトが長距離を走り続ける狩猟を行なってきた文化に起因しています。身体の解剖学的構造を変化させたのは、この「文化―遺伝子共進化」です。それは文化によって起こされたので、すでに人類は人工的だといえます。

――自然から人工的へ――人類はその境界線をとっくの昔に越えていたということですか？

ヘンリック　二百万年前に越えています。問題は、人類はこれから先どこまで進化しうるのか、ということです。われわれの文化は、さらにテクノロジーに統合されていくでしょう。それがよいかどうかは別として、今日《こんにち》のデジタル化の進展というのは、これまで繰り返されてきた進化プロセスの一部にすぎないということです。

Chapter 5

AIに料理はできるか

遺伝子組み換え食品、食文化の自由――食べ物からみる、人類の知られざる進化

ジョナサン・シルバータウン氏の「進化」に対する見方も興味深い。食べ物から見た進化論であるが、料理だけではなく、その道具の一つである陶器の発明が進化の分岐点として重要であるというのだ。説明されてみると合点がいくが、我々にとって当たり前のことが、進化に計り知れない影響を与えていると考えるだけでワクワクする。

遺伝子組み換え食品に対する我々の根拠なき恐怖心も氏の説明をきくと、その恐怖が瞬間に消えてしまう。健康に生きるアドバイスについては、デビット・シンクレア氏とはいささか見解が異なる部分もあるが、食べ物から進化を見ると、いままでにない発見があることを改めて教えられる。

Jonathan Silvertown

ジョナサン・シルバータウン

進化生態学者

エディンバラ大学進化生態学教授。同大学の進化生物学研究所に所属。生態学と進化に関する著作多数。著書（邦訳）に『なぜ老いるのか、なぜ死ぬのか、進化論でわかる』『美味しい進化』（以上、インターシフト）などがある。

料理が「外部の胃」として機能してきた

——“Dinner with Darwin”（邦訳『美味しい進化』インターシフト）は、食べ物と人類の進化の関係について教えてくれます。人間と他の動物を区別する特徴の一つは料理をすることですが、そもそも料理とは何でしょうか。

シルバータウン　生物学的に、料理の機能はいくつかあります。そのなかで最も重要なのは「外部の胃」として機能することです。料理をすることで消化しやすくなります。たとえば、でんぷんが栄養分の糖に分解しやすくなり、また柔らかくなった肉からタンパク質を吸収しやすくなります。もし料理をしなければ、いまより四〇％ほど大きな胃腸が必要になるでしょう。

——料理もそうですが、ヒトの特性として火を使うことが挙げられますね。

シルバータウン　ほとんどの動物が火を怖がるなか、ヒトがそれを発見したことは確かです。ハーバード大学教授のリチャード・ランガム氏は、これはホモ・エレクトス時代に起こり、二百万年近くその歴史を遡《さかのぼ》ることができると考えています。私はそうは考えません。火の化石の科学的証拠はせいぜい数十万年前のことですから。彼によると、ヒトがかなり昔から料理をしている解剖学的指標があるようです。

――なぜヒトは火を使おうとしたのでしょうか。

シルバータウン　野生動物から自らの身を守るためだったかもしれません。また、進化と共にヒトの体毛が少なくなったのは、火を使うことで自分の身体を温められるようになったからだといわれています。夜間の寒さから身を守ることにも使われました。料理のみならず、火には複数の使用目的があります。

――火を使うことで、料理の幅がかなり広くなったでしょうね。

シルバータウン　それは間違いありません。また、食べ物をもっと美味しくしてくれます。そのまま食べると毒性があるものや、あまり美味しくない食べ物を、料理によって食べやすくする。他の食材と混ぜ合わせて料理をすれば、さらに美味しくなります。地球上にはかなり広範囲の食べ物がありますが、その組み合わせを可能にするのが料理です。

――ヒトはなぜ、前菜・副菜・主食・デザートといった高度化した料理メニューを構築するに至ったのですか？　それが確立される分岐点はあったのでしょうか。

シルバータウン　陶器の発明が重要だったと思います。とくに火を使う場合は、耐火性の容器がないと、マシュマロをトーストしたり、肉をローストしたりすることはできません。初期の料理法は、大きな器に水を入れて、器を火にかけるのではなく、別に熱した石をその容器に入れる方法です。その容器のなかで料理をすれば、耐火性になっていなくても問題はない。でも形の自在な陶器が発明されたことで、料理の幅は格段に広がりました。

科学者は「食と健康」をどう考えているか

――“You are what you eat.”（健康は食べる物で決まる）とよくいわれます。あなたが普段の食事から心がけていることは何ですか？

シルバータウン　もちろん、食べ物は健康に影響を与えますが、この格言については、いささか懐疑的です。地球上の人間の食事嗜好は多種多様だということ、植物しか食べない人もいるし、肉しか食べない人もいます。

そのあいだには無限の組み合わせがあり、みんな生存しており、料理文化を発達させています。個人的には好きなものを食べます。私自身はあまり脂肪をとりませんが、肉は食べます。でもたくさんは食べません。

――野菜が嫌いで食べない人もいますね。

シルバータウン　アメリカのジャーナリストで、食や農業に詳しいマイケル・ポーラン氏は、過度に加工されたものではなく植物を食べなさい、と指摘しています。私もこのテーマについて研究しましたが、そこから得られた結論は、ヘルシーな食べ物を楽しむ方法はたくさんあるが、料理は、あまり加工されていない、適度な量の植物を主体にするほうがよい、ということです。食物繊維が豊富な野菜は必要な栄養素をすべて与えてくれます。あと適度な運動が重要です。日常的に身体を動かして、食べる量を減らすのがヘルシーな生活だといえます。

——日本では一日三食（朝、昼、晩）が健康に良いとされていますが、ハーバード大学医学部のデビッド・シンクレア教授は「三食も必要ない。二食で十分」と言っていました。あなたはどう思いますか？

シルバータウン　この議論には二つの見方があります。一つは、日本人には肥満が少ないため、太ったか痩《や》せたかの影響が比較的少ないこと。アメリカやイギリスでは人口の三分の一が肥満です。だから食べる回数を減らしたとしても、もともとの量が多いため、必ずしも食事制限を意味しません。食事制限は、一日二〇〇〇カロリーより少ない量を摂取し、事実上自分を飢《う》えさせることです。動物ではそれが長生きのために効果がありますが、人間にはないと私は考えています。

「食べる量を減らせば長生きできるが、ではより長く生きる意味は何か？」というジョークがあります。ただ長生きするためなのか、心身ともに健康な状態を維持するためなのか、それらのバランスを考えなければなりません。シンクレア教授が健康寿命についてどう考えているのか知りたいですね。

見落とされる「果糖の罠」

――あなたは、意識されにくい「フルクトース（果糖：果物に含まれる天然糖）の罠《わな》」を説いていますね。何が問題なのでしょうか。

シルバータウン　フルクトースはグルコース（ブドウ糖）と同じ単糖の一つで、肝臓でしか分解されません。したがって、体内のフルクトースの消化はすべて肝臓で行なわれます。

一方、グルコースは私たちの体内の血液中を循環し、すべての細胞や組織のエネルギー源となります。フルクトースは、この点が大きく違います。もしフルクトースが体内に多いと、肝臓に悪影響を及ぼし、肥満になることがわかっています。

ある興味深い実験があります。一つのグループはグルコース主体のパンやパスタを食べ、もう一つのグループはフルクトースが含まれたオレンジジュースを飲みます。すると、両者の摂取したカロリーが同じでも、後者のほうが肥満になる傾向が強かったのです。

——フルクトースの害についてはあまり議論になりませんね。

シルバータウン　われわれの食べ物の糖分が過剰であるという話はよく出ますが、それは加工食品についてです。じつはそれらには甘味料としてフルクトースが使われている。フルクトースの問題は、ショ糖やブドウ糖より甘く、美味しくて、しかも安いこと。だからついつい食べてしまいます。

——身体の機能において、フルクトースは必要ありませんか？

シルバータウン　そう思います。必要なのは、身体のエネルギー源となるグルコースのほうです。ただフルクトースのいいところは、リバーシブル（元の状態に戻せる）なことです。それが含まれている食料品を控えれば、肥満にならず元の体型と健康状態に戻れます。

――フルクトースは人類の進化を妨《さまた》げてきたのでしょうか。

シルバータウン　その問いに結論を出すのは時期尚早でしょう。フルクトースをたくさん含んだ食料品を使いだしたのは、ここ五～六十年ほどのことですから。

ただし、肥満がわれわれの進化に何がしかの影響を及ぼすことはかなり明白です。まずいえるのは、かつてと比べて肥満の人が増えていること。二つ目は、肥満は寿命を縮《ちぢ》め、生殖能力を衰《おとろ》えさせることです。健康に対する注意を怠《おこた》ると進化に影響を及ぼすことは、疑う余地がありません。

食文化はその国の自由でよい？

——近年は、ビーガン〈ベジタリアン〈菜食主義者〉のうち、肉・魚介類などに加え、卵や乳・チーズなど動物由来の食品をいっさいとらない人〉も一種のブームになっています。菜食主義は、食事の進化の系譜において、どういった位置付けになるのでしょうか。

シルバータウン　動物由来の食べ物を完全に拒否するビーガンは前代未聞ですが、そもそも肉をたくさん食べる必要はありません。歴史的にみると、ほとんどの文化において肉は高価なもので、手に入れるのが難しい。多くの野菜と穀物があれば、あとは少しの肉で事足ります。

インドにはベジタリアンの文化があるし、日本にもベジタリアンの仏教徒がいますね。ただよく調べると、ベジタリアンといっても、食べる野菜や穀物が虫（動物）の成分で汚染されていることがあるのです。その意味で完全なベジタリアンとはいえませんし、よくいわれるビタミンなどの栄養不足もそのことで補われている面があるのです。

――食事はその国の文化と深く関わりますね。日本では伝統的に鯨肉《げいにく》を食べ、韓国や中国では犬の肉を食べます。日本人は中韓の食文化を非難しませんが、日本の鯨食文化は欧米を中心とした反捕鯨国からしばしば批判されます。食文化はその国の自由に、というわけにはいきませんか。

シルバータウン　その質問に対しては、できるだけ外交的にお答えしましょう。まず、多くの欧米諸国の人は犬が好きですから、その肉を食べることには感覚的に反感をもつでしょう。ただ私は、動物は動物なので、最後は肉を食べるかどうかの問題だと捉えています。

一方の鯨は海の生き物であり、陸を超えたすべての人のものです。それに絶滅の恐れがある。多くの人たちはこれらの面に関心をもっています。

――つまり、資源の枯渇《こかつ》の観点からみている、ということですか。

シルバータウン　そうです。だからこれを一国の食文化の問題として捉えるべきではないと思います。鯨がどこで生きているのか、絶滅の恐れがあるのか、という事実からみるべきです。ただ、それぞれの国の人々が何を食べようと、それにはまったく異論ありません。

遺伝子組み換え食品に対する根拠なき恐怖心

――「GM food（Genetically Modified food：遺伝子組み換え食品）」に反対する人がいますね。そもそも、人工的な食品と自然食品との明確な境界線はあるのでしょうか。

シルバータウン　ほとんどありません。二十〜三十年ほど前に遺伝子組み換えについて懸念が出てきたときは、まだ初期段階でした。しかしもともと農場で育てられた植物は、意図的ではないにせよ、自然淘汰《とうた》によって遺伝的に改変されたものです。

実際、畑にある小麦は、原種の野生の小麦と比べてはるかに大きい。研究所で人工的に改変したのではなく、農民が意図的に大きな穀物を生み出す種を選び続けたために大きくなっていったのです。

――自然淘汰による方法は時間がかかりますね。

シルバータウン　はい。現代の技術が驚異的なのは、人工的な遺伝子操作で自然に起こる改変の時間を大幅に縮小できることです。たとえば、野生原種から国産トマトをつくった中国の研究所では、ほぼ一年で改変できています。

――「GM food」が普及していることについて、あなたはどう思いますか。

シルバータウン　食べ物の一つの種類として、反対ではありません。数十年前は遺伝子操作の技術がごく限られていましたが、現在は絶えず新しい手法が出てきます。たとえば、いま話題になっているクリスパー・キャス9というゲノム編集技術は、すでにバクテリアにあるプロセスを使っています。この手法がもし自然ではないのなら、遺伝子をバクテリアから取り出し、それを哺乳動物の細胞や植物の細胞に注入することも自然ではありません。遺伝子そのものや遺伝子のおりなすメカニズムは、進化の産物なのです。

ですから、あるものが自然かどうかについて議論することは有益ではないと思います。われわれがいまやるべきことは、新しい技術が出てきたとき、それに伴うリスクを詳しく調べて客観的に評価することです。そのような安全性評価は「GM food」に対して幾度も行なわれてきました。かつて抱《いだ》かれた恐怖には根拠がないことが、多くの研究によって証明されています。

AIによるレシピは途上段階

――技術によって食べ物の在《あ》り方が変わっていく。これを「人工的な進化」と呼ぶことができるでしょうか。

シルバータウン　そうですね。人類は進化を通して、人工的といえるほど人類に適合するように環境を変えてきました。自らが共存する地球の生態系を変え、大気、気候も変えてしまいました。われわれはいま、「人新世（ノーベル化学賞を受賞したオランダ人化学者パウル・クルッツェンによって考案された、人類が地球の地質や生態系に重大な影響を与える『人類の新たな時代』という意味の新しい時代区分）」を生きています。人間が地球という惑星を形づくる時代になったということです。われわれが意図しないことや未知の事象も起きていますが、それは人類がとった行動の結果です。

――ＡＩやデジタルと食事が結びついたとき、食事の進化はどこに行き着くのでしょうか。

シルバータウン　それは非常に興味深い問いです。ある研究者は「いまのＡＩはミミズくらいの知能だ」と言っていました。彼女はＡＩのアルゴリズムを使って新しいレシピをつくろうとした。しかし、ＡＩはすでに存在するレシピから共通の情報を取り出しているにすぎないせいか、とても食べられそうにないレシピができてしまったそうです。

いまのＡＩはナンセンスなレシピをつくる傾向が強いのです。レシピの明らかな特徴を取り出そうとしますが、まだ知能が不十分なため、意味のあるメニューがつくれない。将来的には技術が進歩するでしょうが、現時点の知能では不可能です。

たとえば、料理の優れたシェフは明文化できない技術や知識をもっているものです。ＡＩで創造的なレシピをつくるには、この点をどう組み入れるかです。もちろん、囲碁のように

ＡＩが人間を凌駕《りょうが》する分野もあります。しかし、それは論理の通った数学的領域にとどまります。ＡＩが有効なときもあれば、ミスリーディングを招く場合も少なくない。まだまだ先は長いですね。

Chapter 6

物理法則に制限される生命

あらゆる生物の進化は宇宙の必然性に支配されている

多くの人にとって、チャールズ・コケル氏の進化論は、先入観が打ち砕かれるほどまでに、新鮮に感じるのはないだろうか。そもそも生物学と物理学の分離は人間が恣意的に行なったものだから、その意識を取り払うことから始まるが、コケル氏はみごとにそれに成功している。

さすが、オックスフォード大学で分子生物物理学の博士号を取得しただけある。女王アリの話にしても、アリの巣の大きさを数式に置き換えるところなど、ワクワクしてくる。「生物の行動は物理法則に操られた結果でしかない」という氏の卓見をきくと、生物がロボットにみえてくるというのは私だけだろうか。

Charles Cockell

チャールズ・コケル

宇宙生物学者

1967年生まれ。エディンバラ大学宇宙生物学教授。英国宇宙生物学センター所長。極限環境の生物や、地球外の環境における生命存在の可能性、宇宙探査や宇宙入植に関心をもち、NASAのエイムズ研究センターや英国南極調査所、オープン大学でも研究生活を送る。著書（邦訳）に『不都合な生命』（麗澤大学出版会）などがある。

夕焼け空に、何千羽にもなる黒い大群が現れ、急に空を切っては一斉に方向転換をするムクドリをみた経験はないだろうか。雁《がん》がV字の隊列を組んで優雅に大空を舞う様子は、組織化された軍隊を彷彿《ほうふつ》とさせる。あるいは、アリが機械的に働く様に、われわれは一種の社会組織を見出《みいだ》すであろう。

　しかし、宇宙生物学者であるコケル氏は、生命体のこれらの行動は「知性」に拠《よ》るものではないという。『生命進化の物理法則』（河出書房新社）において、生物学と物理学は切り離せない関係にあり、生命体の行動は物理法則に基づいていること、そして、「進化」は、数式に置き換えられる単純性をもった最適化の結晶である、と指摘する。

　はたして、生命体の行動や進化の過程で、どのような「物理法則」が形成され、生存形態に影響を与えているのだろうか。また、人間のように「知性」をもつ生物と、そうでない無生物を分け隔てる「物理法則」とは一体何なのだろうか。スコットランドの首都エディンバラに居を構えるコケル氏にインタビューした。

アリにリーダーは存在しない

――鳥やアリ、魚の群れの複雑な動きに、われわれは人間と同じような社会、言い換えれば、生命の知性を見出しています。コケル博士は、人間とそれ以外の生物の知性をどのようにみていますか？

コケル　他の生物と比べ、人間社会には高度な複雑性をもった人間固有の「文化」や「伝統」の存在があるということです。ある世代から次の世代に伝播《でんぱ》されるこのようなものが合理的で物理的な根拠をもたないので、人間社会をたんなる数学的な方程式に置き換えるのを難しくしています。

その一方で、人間の文化の根底にあるのは、生命活動を司《つかさど》る基本的な行動原理です。じつは、生物学や物理法則で説明可能な理論に基づいて、われわれの行動はデザインされているといえるでしょう。とはいえ、ホモサピエンスに与えられた大きな脳が意味するように、文化の強力な刷り込みや、伝統による不合理な習慣を「知性」によって受け入れている部分もあります。

――自然界の物理法則では説明がつかない不合理な方法で、文化の形成に人間の脳（知性）が関与しているということですね。

コケル　そうです。人間の知性が生み出した特殊な産物がまさしく文化なのです。

しかし、アリや鳥のような他の生命体は、人間のように日々の行動様式や子孫の行動パターンに影響を与えるような複雑な文化を手に入れていません。

文化をもたないアリや鳥は、化学物質による交信や環境の物理的な信号のような生命体にプログラムされたインタラクション（相互作用）に基づいて行動します。一見、動物や昆虫の行動は「予測不能」であるかのようにみえますが、多くの研究者が相当な苦労をして、彼らの行動を方程式に当てはめることに成功しています。つまり、アリの動きをはじめとした生命体の行動を数学的に説明し、高確率で予測することは可能なのです。

――グループ（集団）で生きるアリのような生命体は、誰かがリーダーを務め、互いに意思疎通しながら、全体で統一が行なわれていると思っていました。しかし、実際はそうではなく、彼らの複雑な動きはじつは物理法則に支配されている、ということですか？

コケル　鳥やアリをみると、リーダーが存在すると思うかもしれません。それは人間がピラミッドのような巨大なモニュメントを建設する場合、労働者に何をすべきか、指示を出すリーダーがいるのは当然だと考えているからです。何百人もが参加する大型プロジェクトにおいて、指揮官がいなければ、現場はカオスな状況に陥《おちい》るでしょう。

人間は権威や歴史の「象徴」として、モニュメントを建造します。これは、人類のもつ文化的な要素に起因しています。しかし、他の生命体が自然界で餌《えさ》を協力して運んだり、大群で空を飛び回る行動は、誰かの指揮・命令に従ったものではありません。彼らに特定のリーダーはいないのです。一見、組織化されたようにみえる生命体の行動は、体内のさまざまな信号のやりとりによる単純なインタラクションの結果にすぎません。

――昆虫や動物は意思なしに狩りをしているということですか？　それこそ、物理学や化学の法則のみに従って……。

コケル　化学物質によって交信するアリを例に出しましょう。現在までの研究で、アリの巣は、桁違《けたちが》いに複雑な構造をしているとわかっています。日本の北海道でみつかったアリの巣には、三億匹の働きアリと一〇〇万匹の女王アリが生息し、四万五〇〇〇もの巣が縦横の通路でつながる「大都市」の構造を成していました。このような巨大都市の形成は、女王アリがコントロールしていると思っているでしょうが、実際はそうではありません。

たしかに、女王アリは働きアリにある程度の指示を出していますが、アリの巣作りや列を成した餌運びは、働きアリ同士のあいだに生じるインタラクションの結果にすぎません。体からフェロモンと呼ばれる化学物質を放って、近くにいる仲間を呼び寄せていく。こういった個々の自発的な行動が、やがて何億匹のアリの集団行動を生み出すのです。

物理法則が生み出す行動にすぎない

——このように生物が物理法則によって行動することに、いつ気づいたのでしょうか。

コケル　これは私が初めて発見したわけではありません。昔から数多くの論文が発表されています。興味深いことに、研究者が口を揃えていうのは、ほとんどの生命体の集団行動は、われわれが考えているよりもはるかに予測可能であり、そのインタラクションを単純な方程式で表すことができる、ということです。

もちろん、その方程式は一つではなく、生命体の種類や行動によって、いくつもの数式が導出されます。たとえば、アリの巣の大きさは、$y = kxn$ という数式に置き換えられます。これはアリの数に比例して、巣の体積が変化することを表しています。この数式はアリ固有のもので、野生動物の群れに同じ方程式を当てはめることはできません。さらに、鳥は〝飛行〟という複雑性が加わるため、数式には空気力学を考慮に入れなければなりません。

小指の先ほどの大きさのテントウムシの生態や行動には、恒星の構造を表す原理よりもはるかに多い物理的原理がぎっしりつまっています。形状、毛の密度や粘着力、物体と衝突した際の耐久力も数式に変換が可能で、独特の模様も二つの連立偏微分方程式で表すことができます。

鳥やアリも、「知性」に基づいて社会を構築しているようにみえるのは幻想です。このように生命体の行動は数式に変換でき、人間社会のような複雑性はないとわかったのです。受け入れ難いかもしれませんが、生物の行動は物理法則に操られた結果でしかないのです。

細部を削ぎ落とした先にある生命の根源

——進化生物学者のスティーヴン・ジェイ・グールドは、著書『ワンダフル・ライフ』(早川書房)で、生物の多様性は「偶発」の産物であると唱《とな》えています。物理法則の制限のなかで、同じ種でも色や模様の異なった多様な生命体が誕生していることについては、どう考えればいいですか。

コケル　小さなスケールでは、多様性はたしかに存在します。たとえば、蝶の羽の形や色は無限にパターンがある。生命体の進化において、小さな変化と多様性が生み出されてきたという点でグールド氏の見解は正しい。

しかし、彼が逆に見過ごしているのは、生物の並外れた「共通性」です。祖先から受け継いだ形態や発生上の制約により、目の色や口の大きさ、爪の形といった細部の特徴や色には差異が出てくるものの、ほとんどの動物は左右対称で、前部に口があり、後部に肛門がある。生命を根本で束縛するのは、環境適応のための物理法則であり、その法則に則《のつと》って、生命体のもつ特徴を予測できるのです。グールド氏の「（すべてを規則に当てはめる）物理学は面白くない。進化が生物の多様性を生み出したのだ」という発言は有名です。しかし、リンゴが木から落ちるように、物事が物理法則に縛られるのは、まさしく事実にほかなりません。基本原則として、生物学は物理法則に従います。物理法則は、無限の宇宙を支配し、生命はその宇宙の一部なのです。

さらに、私が興味深いと感じるのは、かなり小さな生命体にも物理法則が影響している点です。物理学は、あらゆる生命体の進化の可能性を限りなく制限する圧倒的な強さをもっています。われわれが、生命の根源を知るためには、多様性と複雑さに気を逸《そ》らされてはいけません。とるにたりない情報をすべて削《そ》ぎ落とした先には、極めて単純な法則が隠れており、その法則が生命の新発見を可能にするのです。研究として興味深いのは色鮮やかな細部かもしれませんが、私はそれに対して「ノー」といいます。それは、ランダムな突然変異によって生成する変化にすぎないからです。

――空を飛ぶ昆虫は、翅《はね》（羽）をもち、水中を泳ぐ生物は流線（曲線）型をしています。こうした収斂《しゅうれん》進化（生息する環境によって魚類のサメと哺乳類のイルカのように系統の違う動物が、似たような体形をもつようになること）は、すべて「物理学の法則」によって生じた、ということでしょうか。

コケル　多くの部分はそうであるといえます。もちろん、収斂進化はある生物と他の生物とのインタラクションや環境変化でも起こるので、すべてが物理法則によるものであるとは断言しません。しかし、生命体の形の多くは、やはり物理学に起因します。

その典型的な例は、水中を速く泳ぐ生物です。哺乳類であるクジラも魚類である魚も、数億年前に存在した爬虫類の魚竜も、水中を速く泳げるように適応した生物ですが、すべて流線型の体形をしています。これはまさに流体力学（液体をはじめとした流体の静止・運動状態、他の物体へ及ぼす力を研究する力学）そのものです。

先述したように、生命体の進化は一定のルールに制限されているので、ある種の環境に適応できる形に収斂する進化は、奇跡ではないのです。クジラのホメオボックス遺伝子を調べれば、一度陸で生活し、その後、海へ戻るため、四肢から再びひれを形成するという、驚くべき移行を解き明かせるはずです。無限の可能性から、このような大胆な解決法を選択する生命体はそれほど奇妙ではありません。ひょっとしたら、生存存続の壁が立ちはだかる生命体に、共通の解決法を見出すように指示を出している「創造者」がいるのかもしれません。それは、まったくミステリアスな話ではなく、その「創造者」とは物理学そのものだということです。

――オリンピックの水泳競技で金メダルをとりたければ、体形を流線型にせよ、ということですね。

コケル　魚のような体形になるのがベストです。同じ力をもっているなら、体形を流線型にしたほうがより速く泳げるようになります。この場合も水中を速く泳ぐ必要があるわけです。逆に速く泳ぐ必要がない生物は、捕食者から逃げる際に、ウニのようにカモフラージュする適応方法もあります。

必然があるから生まれる個性

——生物の進化は必然である、という論への反論として、オーストラリア大陸に棲《す》む動物の希少性があげられます。オーストラリア大陸の環境条件は、ほかの大陸とそれほど異なっていないにもかかわらず、カモノハシのような奇妙な動物が生まれたのは、なぜでしょうか。

コケル　これは、いったん基本的な形ができると、そこにさまざまなものをくっつけて、異なった外見を手に入れた一例です。

この現象は「自動車」で説明ができます。自動車はいろいろな形をしていますが、物理学上の規則は同じ方向を向いています。まず、すべての車にはタイヤが必要ですし、それを動かすエンジンも不可欠です。自動車を完全に流線型にする必要はありませんが、あまり大きな抵抗を受けずに動く形にしなければなりません。自動車が発明されてから百年以上経ち、流行に沿って多種多様な外見の車が世に出ていますが、それでも基本的な枠組みは変わらず、物理学によって駆動しています。
それは生物学にもかなり当てはまります。物理法則によって制限されている生物進化は、限られた余地のなかで、細部に個性を発揮し、多様性をもたせる。こうして生物の細部では一見奇異と思われる種類の〝飾り〟をまとうこともあるのです。
カモノハシは顔の前に奇妙な形のものをつけていますが、可能性の範囲内です。基本的に同じような流体力学から生じる形の中での多様性の一つの例です。

――進化はおおむね「物理学の法則」に支配されているという意味では必然だが、生存にそれほど関係しない範囲での多様性は残るという意味では偶然である、とまとめることができるでしょうか。

コケル　それは、重要なポイントです。生存に大きく影響しなければ、些細な特異性は出現します。恐竜の顎《あご》は食べ物を砕《くだ》くことができるかぎり、いろいろな形に変化するということです。ただ、その多様性は重要な変化ではありません。進化の範囲で淘汰《とうた》されないかぎり、ありとあらゆる種類の多様性は存在し続けるのです。

しかし、水中を速く動くことや空を飛ぶというような基本動作についていうと、もし水中を動く速度が遅すぎると、食べられてしまいます。もし羽が大気中の移動を可能にしなければ、地面に落ちてしまいます。生命体は、避けることのできない物理学の境界条件を、必ず守り抜いたうえで生存しているのです。

――コケル博士の提唱する理論は、生命の進化が「必然」か「偶然」かという二項対立を解消する知見といえそうです。

コケル　そうです。まさにその両方ということです。生命体の核になる形は必然です。それは物理学によって形成され、予測することができます。偶然による細部は予測できません。淘汰圧が強く生命体に作用していなければ、蝶の羽の色はどんなものにでもなります。細部には無限の多様性があります。

いたでしょうか。

地球外生命体も同じ形をしている

――六千六百万年前に小惑星が地球に激突せず、恐竜が絶滅しなければ、知性を獲得して

コケル　獲得したかもしれませんが、確たる証拠はありません。進化生物学の研究では、地球上の生命の能力に明確な違いをもたらす激変によって、生物の身体や体系に及ぶ大きな変化が起こりうることが示されています。知性の獲得においても、進化のタイミングのなかで、認知能力の獲得を施すちょうどよい淘汰圧が、たまたま働くことだってありうる。

しかし、恐竜は爬虫類として一億六千五百万年を経ても知性をもてなかったのに対し、ヒトが初期の類人猿から、一千万年のあいだに宇宙船を建設するまでに至ったことは興味深い事実です。もしかしたら、恐竜が知性を獲得しないまま何億年も繁殖に成功したということは、彼らにとって知性が必要な能力ではなかったのかもしれません。

生命を「エネルギーを消費し、自己複製と進化を行なう物質システムである」と定義すれ

ば、進化において重要な要素は淘汰されず、繁殖を続けることでしょう。それが、あるものが一つの世代から次の世代に続くかどうかを決定する唯一の物差しです。そのうえで、生命体に知性が現れると生存に役立ちます。頭を使い、長い期間にわたって繁殖を成功させるのです。さらに、いったん知性が現れると、そのまま永続することに非常に長《た》けるのではないでしょうか。

――コケル博士は、系外惑星に棲む生物の多様性は、その星の環境がもたらす物理法則によって決定づけられる、と主張していますね。それでも空を飛ぶ生物には翅（羽）があり、水中を泳ぐ生物にはひれがある、といえるのでしょうか。

コケル　惑星によって環境や重力は異なるかもしれませんが、生命体に与える重力や大気密度の影響は、方程式に従って作用するでしょう。どの系外惑星も地球の周期表に載っているのと同じ元素で構成されています。宇宙で大きな割合を占める炭素が、すべての複雑な分子の材料として適していることを、量子原理から地球外生命体にも当てはめられるのです。ですから、ある系外惑星に鳥がいれば、どれくらい羽が大きくなければならないか、実際にその生物をみなくても紙上で予測できます。大気の中で揚力を維持するには、一定の大きさの羽が必要です。

同様に、水中を泳ぐ生物が系外惑星にいれば、体形は流線型であるでしょう。それはかなりの確信をもっていえることです。つまり、それこそ物理学によって引き起こされる収斂進化です。もちろん進化の方向にバリエーションはありますが、核心部では、物理法則によって引き起こされる単純な共通性です。系外惑星に大洋があれば、水とは異なる濃度の液体であっても、どれくらい速く動きたいかによって、どれくらい流線型にならなければならないかがわかります。こういうことは物理法則によって非常に強力に形成されます。

――今後、どのような研究をさらに進める予定ですか。

コケル　極限環境における生命体に関心があります。とくに微生物の研究です。生命に対して温度や圧力の限界はあるのか。それらは、どの生命体や生息地においても普遍的な定理なのか。物理法則をどこまで当てはめることが可能なのか、という謎を解明したい。

——本書を上梓《じょうし》したとき反応はどうでしたか。

コケル　全体的には良い反応です。少数の人から「生命が物理学の法則に従うのは当然だ。いまさらそれがどうした」という反応がありましたが、それは的外れな指摘です。物理学と生物学の両方を学んだ私が示したかったのは、人が長いあいだ進化の産物をみて「単なる偶然」だとか「歴史がつくりだした」と主張してきたプロセスは実際、物理法則が律してきた結果である、ということです。

宇宙全体から簡潔な数式を求める物理学と、微生物から進化し、世界に広がる多種多様な生物を研究する生物学は、完全に分離された分野ではなく、われわれが想像する以上に共通性があるのです。

Chapter 7

世界大戦が起きれば数分で終わる

「ポスト・ヒューマン」の時代に問われる倫理

宇宙物理学者から人類の未来を大局的にみると、どのようにみえるのか。その答えを垣間見させてくれるのが、マーティン・リース氏である。軍事ドローンはすでに使われているが、第三次世界戦争が起きると、数分で終わるという。

新型コロナウイルスが、人工的に作られたかどうかは別として、遺伝子組み換えによって危険なウイルスをつくることができるというのだから、少数でも地球規模で惨禍を引き起こすことができるという。われわれは、価値判断を変えなければならないことは間違いないが、パンデミックが起きる前に、その可能性を指摘し、現代社会の脆弱さに警鐘を鳴らしている。その洞察力には脱帽しかない。

Martin Rees

マーティン・リース

宇宙物理学者

1942年、イギリス生まれ。1967年、ケンブリッジ大学から博士号を取得。元ロンドン王立協会会長。元ケンブリッジ大学トリニティ・カレッジ学寮長。著書（邦訳）に『今世紀で人類は終わる?』（草思社）などがある。

AIの進化はいつ人間を超えるか

――AI（人工知能）の能力は、いつごろ人間の能力を超え、仕事を奪いますか。

リース　チェス、将棋、囲碁のゲームの世界ではすでに起きていますが、今後AIが人間から奪うものを考えると、大量のデータを管理する仕事や放射線技師の仕事でしょう。AIは一度に五万人以上のX線診断画像を検査することができる。その一方で、家の破裂した水道管などを修復する配管工型のロボットはすぐにはできない。不規則な外界と複雑にかかわる配管工や庭師といった仕事にAIがとって代わるには、まだかなりの時間がかかるでしょう。

――人間の手先の器用さが求められる仕事はそうだとしても、知的な専門職についてはどうでしょうか。

リース　会計士、コーディング（文字、画像、音声などのデータをコードに置き換えて符号化すること）などはすぐにＡＩにとって代わられるでしょう。病気の診断もある程度はそうです。そのような、ＡＩによって仕事を奪われた人に対し、別の仕事を与えるようにすることは重要でしょう。

倉庫やコールセンターなどで働く人も、もうすぐ仕事がなくなるでしょう。ＡＩによってそれらの仕事を奪われる人が出てきても、求人の多い老人介護や教師を補助する仕事に就けるなら、ウィンウィンの関係になります。本来、ロボットではなく、人間がやるべき仕事に従事することによって人は満足します。日本には高齢者の世話を助けるロボットがありますが、それは生身の人間がやるのがいいと、みんな思っているのではないでしょうか。

脳そのものをデータ化すれば不死が実現できる

――同感です。ところで、"Our Final Century?"（邦訳『今世紀で人類は終わる？』草思社）は十年以上も前に書かれた本ですが、人間の脳そのものがデータ化されることによって、肉体が滅んでも不死になる可能性を指摘されていますね。その考えはまだ変わりませんか？

リース　もちろんです。より多くの人がその研究にとり組んでいます。研究者たちは老化が治癒《ちゆ》できる病気であり、脳そのものをダウンロードできるようになると考えています。しかし、その場合でも「それはあなたであるか」という哲学的な問いが残っています。

——なるほど。自己同一性の問題ですね。

つまり、血肉の通わない身体は本質的な存在であるのかどうか、という問いです。というのも、われわれの人格は自分の身体と外界とのかかわりによって形成されているからです。そうだとして、脳そのものがダウンロードできたら、ハッピーか？　そうなれば、生身の身体は不要になるとして、それでも幸せか？　それと、自分の脳の電子コピーがたくさんつくられるという問題もあります。こういう哲学的な問題の多くは、それらが実現した場合、実践的な倫理の課題になるかもしれません。ただ、それにはまだ長い時間がかかります。

——複製可能なアンドロイドは自分なのか。そもそも人間なのか、という問いですね。

リース　レイ・カーツワイル氏はこのような状況を望んでいる一人ですが、彼は「シンギュラリティ（技術的特異点：ＡＩが人間を超えること）」がいつか起きると考えていますが、すでに七十歳を超えた彼が生きているうちには実現しないでしょう。彼は、自分の身体を液体窒素で凍結させておき、人間が不老不死に達することができたとき、または脳がダウンロードされるようになったとき、蘇生《そせい》させてほしいと願っています。あまり現実的ではありませんし、賢明な考えとは思いませんね。

実際に、身体を液体窒素で凍結させる会社がアメリカのアリゾナ州にありますが、それを実行する人は身勝手だと思います。もし蘇生が可能になったとして、そういう人は過去からの「難民のような存在」になり、自分がいた世界とは大きく異なる社会に負担をかけるかもしれないからです。しかも、そういう社会ではわれわれの価値観とは違って、ケアをしてくれるかどうかさえ、わからないのです。

少数の人間がもたらす破局

——二〇一九年九月、軍事ドローン（無人機）がサウジアラビアの石油施設を攻撃したことは世界を驚かせました。核爆弾が積まれていたらどうなっていたかと思うと、ぞっとします。

リース　軍事ドローンは戦争の性質を変えてしまいます。ＡＩは非常に速くミッションを完遂できる。第三次世界大戦がまた起きるとすれば、数分で終わるでしょう。

——人間が戦争に行かなくてもいい、ということですか？

リース　それが問題です。小型のドローンは顔認証能力と組み合わさると、特定の人物をみつけて殺すことができる。これは倫理的に大きな問題を提起します。近著の〝On the Future〟（邦訳『私たちが、地球に住めなくなる前に：宇宙物理学者から見た人類の未来』作品社）

では、遺伝子組み換えによってさらに危険なウイルスをつくる、いわゆる「機能獲得」技術について書きました。実際に実現可能ですから、さらに倫理と安全性両面において難しい問題につながります。

最初の本（"Our Final Century?"）でも近著でも強調したことは、現在は少数の人間であっても地球規模で過去に起こりえなかったほどの惨禍《さんか》を引き起こす力があるということです。サイバー兵器や生物兵器によって、たとえ一人であっても全大陸に巨大なカタストロフィ（破局）をもたらすことができる。しかも兵士は必要ありません。

そんなことを実行する人は、極端な思想や動機、目標の持ち主かもしれません。日本ではオウム真理教のメンバーが地下鉄にサリンをまき散らした事件がありました。もし彼らがもっとパワフルな技術をもっていれば、さらに大きなダメージを与えていたかもしれない。生物兵器は実際の戦争ではあまり使われません。それは倫理的な理由もありますが、その破壊的な影響を予測できないからです。殺す相手を間違えて一般市民も巻き込んでしまう可能性もあります。

——無差別に大量殺戮《さつりく》ができますね。

リース　そうです。敵だけではなく、味方まで殺してしまいます。私が考える最悪のシナリオは、「人類はこの惑星を汚染させている」「この惑星を破壊している」「だから人類を減らしたほうがいい」と考えている極端な思想の持ち主が、生物兵器をもつことです。そのような人は誰を殺したかをまったく気にしません。

もう一つ、生物兵器やサイバー兵器について懸念すべきことは、核兵器を製造するような目立った施設を必要としないことです。核兵器はIAEA（国際原子力機関）がモニターしていますが、生物兵器やサイバー兵器は規模が小さいので監視することができません。いくら規制を設けても、世界中の税法や薬物法と同じで、実際にその規制を施行することはできない。だから私は悲観的になっているのです。

そうしたリスクを最小限にしようとすると、次の三つの要素のあいだで緊張が強まります。まずプライバシー、次にセキュリティ（安全）、そしてフリーダム（自由）です。これからますますプライバシーがなくなり、人はつねに監視されるようになるでしょう。そうなって初めてセキュリティが保障されます。まさに中国はその方向に進んでいます。中国では携帯電話を介してすべての人が監視されています。カタストロフィのリスクを減らしたければ、そうする必要があるでしょう。生物兵器やサイバー兵器のカタストロフィが一回でも起きれば、致命的になりますから。

監視社会のバランス

――個人または小集団による反社会的行為を事前に防ぐには「監視」しかないのでしょうか。

リース　反社会的な行為に手を染めるような、社会に不満を抱く層を減らすのは政治の役割であり、重要な目標の一つでしょう。多くの人のニーズや希望を満たし、政府に対して極端に反感を覚える人が多くならないようにすることです。しかし現実には無理でしょうから、そういう人々に対処しつつも共存するしかないのです。

――イギリスは監視カメラだらけですね。

リース　そう思いますが、中国に追い越されました。興味深いのは、ほとんどの人はそれを気にしていないことです。プライバシーを守ることよりも、セキュリティやセイフティをもっと重視していることです。日本はどうですか?

——日本もますます増えています。そのおかげで警察は以前よりも早く犯人を逮捕していいます。イギリスの場合、ロシアやフランスのスパイを見張っているのでしょうか。あるいは、自国民を見張っている?

リース　スパイを見張っているのではないと思いますね。監視カメラがあると人が安心するためです。襲われたときに記録が残るので、犯罪の抑止力にもなりますから。

——監視社会が当たり前になったということですか。

リース　そうです。監視カメラ以外でも、インターネットの会社が収集する情報がありま す。誰が何をオンラインで購入したかというようなデータです。中国政府は莫大な量の個人情報をもっており、すべての店の総在庫や人々の需要嗜好を知っているので、効率がいい計画経済をやろうとすればできます。それは旧ソ連が夢見ていたことですが、当時はそういう情報がなかったので成功しませんでした。

――中国では経済的な豊かさとは裏腹に共産党政権による徹底した監視社会が成立しています。究極のディストピア（暗黒郷）といえるかもしれません。

リース　そうですが、その面を批判する前に、監視がなければ、テロリストがいつ爆弾を爆発させるか、つねに脅威を感じていることになる。それもまたディストピアです。ごく少数の人が巨大なカタストロフィを引き起こすことができるという世界の新しい現実を考えると、どうしてもこれまでの価値判断を変えないといけない。監視は、少なくともカタストロフィの可能性を減らします。

「ポスト・ヒューマン」に感情はあるか

――中国の研究者は、世界初のデザイナー・ベイビー（遺伝子操作によって、ある特徴をもって生まれた子供）をつくったと主張しています。こうした研究は規制すべきだとお考えですか。

リース　規制はあるべきですが、特定の病気にならないようにするためにゲノム編集をすることは有益なことです。たとえばハンチントン病は、認知力低下や情動障害などの症状が現れる遺伝病ですが、原因遺伝子が特定されています。それをゲノム編集で除去すれば治せます。

しかし、デザイナー・ベイビーの場合、まずどの遺伝子の組み合わせが身長や知能の性質にかかわっているかを特定しなければなりません。何百万という遺伝子からＡＩを使って分析して、今度はそれぞれの特徴に関係するゲノムを合成しなければなりません。

将来、もしこれが可能になっても、倫理的な問題が残ります。反対論の一つは、富裕層にしかできないというものです。富裕層のみが遺伝子構成を人工的につくり変えるようになれば、もっと根本的な社会的格差につながるでしょう。別の問題は、親が自分の子供にラグビー選手になってほしいために必要な遺伝子を編集したとしても、「パパ、ぼくはピアニストになりたい」といわれたら、不幸につながるかもしれない。子供が何になりたいか、親が予測することはできません。

——いずれにしても、ゲノム編集は、人類が新しい段階に入ったという予兆を感じさせます。

リース　自著で述べたように、今世紀末には火星に移住する人が現れる可能性は高くなっています。地球の規制を受けずに、火星でゲノム編集された子供をつくる人が出てくるかもしれないし、地球とは異なる重力や気圧をもつ火星に適応するために、ゲノム編集だけでなく、機械と融合したサイボーグ技術を使うかもしれません。一、二世紀もすれば、人類とは異なる新しい種が火星で出現するかもしれません。

それを私は「ポスト・ヒューマン」と呼びます。本来、進化は何十万年という年数をかけて起きますが、この新しい種に、仮にインテリジェント・デザイン（人知を超えた知性によって設計された生命や宇宙の精妙なシステム）が備わっているとすれば、テクノロジーが変化するのと同じくらいの速さで人間の性質を進化させることができると想像できます。それはまさに game changer（大変革をもたらすもの）になります。

――その「ポスト・ヒューマン」には、われわれ人間と同じ「感情」は備わっているのでしょうか。

リース この一万年で変わっていないものは、人間の性質や感情です。だから、古代ギリシャ人やローマ人、他の古い作家が書いた本をいまわれわれが読んでも感動するのです。なぜなら、彼らも基本的にわれわれと同じ人間であり、昔の人々の感情に共鳴できるからです。人間としての性格も脳も古代から何ら変わっていないということです。

ところが、この大変革が地球上で起こり、これから五百年経って、あまりにも異なる人類が出現すれば、われわれの文学も感情も完全には理解できないかもしれません。人間の本質がもし変わってしまえば、われわれを異なる種類の動物だと感じるかもしれません。

グローバルなカタストロフィ

――『今世紀で人類は終わる?』で主張されたような、科学技術のエラーによる人類滅亡の可能性について現在、どのように思われていますか。さらに深刻化している?

リース　われわれを完全に絶滅させるようなものはないと思います。たしかに歴史上、世界の一部で文明が崩壊したケースはいくつか存在しますので、今日《こんにち》のように世界がかつてないほど相互につながっている状況では、新しい科学技術の誤用がグローバルなカタストロフィを引き起こす可能性は高まっているといえます。より大きな影響が世界規模で起これば、ローカルなカタストロフィに留めることはできないでしょう。

別の危惧《きぐ》は、社会秩序の崩壊です。パンデミック(感染症の世界的大流行)が起きた場合、法を無視して裕福な人だけが病院で治療を受ける状態が生じるかもしれません(編注:取材時は新型コロナウイルスによるパンデミック発生前)。またハッカーが悪事を働いて、東京やロンドン、アメリカ東海岸で配電網(電力網)がダウンすれば、数日以内にカオスが生じます。停電によって高層ビルのエレベーターが止まるだけではなく、コンピューターに関係するすべてのものが止まります。だからいまは、死傷者の数に関係なく、世界秩序の崩壊が起こる可能性が高いということです。

——将来、どんなレベルの惨事が起きるかわからない。その意味で、現代人はつねに大きな不安にさらされているといえますね。

リース　十四世紀にヨーロッパでペストが大流行した際、多くの町で半分ほどの人口が死にましたが、現代社会ははるかに脆弱《ぜいじゃく》です。今世紀はbumpy ride（揺れのひどい移動、険《けわ》しい道のり）になると思います。前述したように、カタストロフィはたった一回でも多すぎますから、事態は深刻です。

Chapter 8

宇宙に「知性」は存在するか

生命の進化をめぐる謎を解く

ジョナサン・ロソス氏の研究室に入ると真っ先に目に入るのが、愛くるしいカモノハシのぬいぐるみである。そのぬいぐるみが目に入った瞬間に、本書に出てくる篤学者の中でも、最も進化と直結する研究をしていることがわかる。氏の話の中で私が驚いたのは、何と言ってもトカゲの進化実験だ。科学研究では実験は黄金律だが、まさか進化を実際に実験できるとは夢にも思わなかった。

ゾウやイルカ、タコなど頭がいい種はあるが、ヒトほどの知性はない。しかし、一億年後にはゾウはわれわれの知性に匹敵する可能性があるという。地球外生命体については本書に出てくる他の研究者も一家言をもっているが、氏の意見にも耳を傾けてみよう。

Jonathan B. Losos

ジョナサン・B・ロソス

生物学者

セントルイス・ワシントン大学教授。ハーバード大学教授、ハーバード比較動物学博物館両生爬虫類学部門主任を経て、現職。『ネイチャー』『サイエンス』など、トップジャーナルに多数の論文を掲載。著書（邦訳）に『生命の歴史は繰り返すのか？ 進化の偶然と必然のナゾに実験で挑む』（化学同人）がある。

突然変異はランダムで起きる

——あなたの著書“Improbable Destinies: Fate, Chance, and the Future of Evolution”（邦訳『生命の歴史は繰り返すのか？』化学同人）を読んでまず驚いたのは、人為的な実験によって進化の過程を証明しようとしている点です。そのような方法があるとは知りませんでした。

ロソス　それが進化生物学の最先端で行なわれていることで、最もわくわくする進展の一つだと思います。自然淘汰《とうた》説を思いついたチャールズ・ダーウィンは、進化は氷河ができるようにゆっくり進行するといった。彼のアイデアはデータに基づくものではなく、直感に近いものでした。でもわれわれ人間はその考えに一世紀以上も従ってきましたし、進化が起こる過程を実験で試すことなどできないと思ってきました

しかし現在では、状況次第で進化が非常に速く進むことがわかっています。害虫が殺虫剤に対する耐性を進化させたり、バクテリアが薬への耐性を獲得して適応していくように、われわれの周りで進化が速く起きるのを目《ま》の当たりにしています。これは進化について実際に

実験もできることを意味します。

こうした人工的な実験は、何十年も実験室で行なわれてきましたが、自然界での最初の実験は、一九八〇年代の（カリブ海にある）トリニダード島に生息するグッピーに関するすばらしい研究でした。ところが、ほとんどの研究者は同じ実験を自然界でできるとは思わなかったので、この十五年後にトカゲの進化実験をわれわれが発表するまでは、誰もこのような研究を論文にしなかったのです。現在、この手の研究はまだ揺籃期《ようらんき》で、それほど数は多くありませんが、今後増えると思います。

――自然界での進化実験をしていなかったら、これまで考えられていたよりも、進化が速く起きることを証明できなかったのでしょうか。

ロソス　その質問に対しては、二つの視点から答えます。まず、速く起きる進化実験そのものが必要ない、ということです。すでに多くの人が詳細な研究を行なっており、かなり速い進化を検知していたのです。とはいえ、進化実験が有用な理由は、進化がいかにして起こるか、とくに自然淘汰がどう適応変化を引き起こすかについてのアイデアを検証できるからです。ご存じのように、科学研究において実験は黄金律といえるくらい重要なもので、進化実験も同様です。

――そこで聞きたいのは、進化の前提となる遺伝子の突然変異は、「偶然」起きるのか、ということです。

ロソス　それは「偶然」の意味によります。真に自然発生的に起きる突然変異もありますが、環境中の放射線や化学物質などによって引き起こされることもあります。進化と自然淘汰に関して重要な点は、「突然変異は必要なときに起きない」ということです。突然変異を起こす要素があったとしても、それは有益であるかどうかに関わらずランダムに起こる。たとえば、寒い環境に置かれたからといって、その寒さに適応できるように突然変異は起きない。環境の点からみて、突然変異がランダムに起こるということは、進化生物学における重要な大前提です。

――では、さらに尋ねますが、進化の話で興味を惹《ひ》かれるのは、やはりヒトの誕生です。

われわれには他の哺乳類にはない高度な「知性」があります。逆に他の哺乳類や太古の恐竜は、なぜヒトと同等の知性を獲得しなかったのでしょうか。

ロソス　とてもいい質問です。人の知性は、まさしく自然淘汰を通じて進化したものといえるでしょう。頭のいい個体が自然淘汰によって選択されるのは、容易に想像できます。上手に食料を集めたり、捕食者を回避したりするには、高度な知性は有利なはずです。

実際、とても長いスパンでみると、一般的傾向として、動物は脳を大きく進化させてきました。これは、高い知性が自然淘汰によって選択されるという仮説に合致します。ただ、なぜヒトの知性だけが高度なのか、という疑問が残ります。ほかのサルやほかの哺乳類はなぜもっと高い知性を獲得しなかったのか？　それはとても難しい問いです。ある形質が「なぜ進化したか」も難問ですが、逆に「なぜ進化しなかったか」はそれ以上に難しいものです。

——ある意味、哲学的な問いともいえますね。

ロソス　そうです。一定のレベルを超えると、科学と哲学の境界は曖昧《あいまい》になります。進化生物学は、過去に起こったことを解明する学問です。そこが魅力でもあり、同時にもどかしくもある。なぜなら、過去に戻って何が起きているかを観察するわけにはいかないからです。タイム・マシンはまだ発明されていませんから。

加えて、ビッグ・クエスチョンを直接検証する実験系をつくるのも、ほとんど不可能です。ヒトの知性の進化を実験で検証するとしたら、霊長類の集団を既知の進化環境に置いて、何百年か待つしかないでしょう。それができないという理由で、トカゲやショウジョウバエで実験をしているのです。理想世界で本当にやりたい実験は、実世界ではできません。

――たしかに不可避のジレンマですね。

ロソス　物理学や化学の分野では、第一原理（近似や経験的なパラメータをいっさい含まない最も根本となる基本法則）からいろんな自然の基礎情報を導き出せます。黒板にびっしり計算して答えを出す、昔ながらの科学者像が当てはまるわけです。でも進化は、さまざまなかたちで起きます。それぞれの系統が歩んできた歴史の流れに大きく依存し、それぞれ異なる適応の仕方がある。ですから、第一原理からカモノハシの進化を導き出すことはできません。細部を理解しなくてはならないのです。
そういうわけで進化は、普遍的な質問に答えたり、大まかな一般化を行なうことは非常に難しい。どうしてカモノハシがあのように進化したのか。それも北米や日本ではなく、オーストラリアだけで進化したのか。そんな疑問はとても魅力的ですが、同時にとても厄介《やっかい》で難しいものです。

――カモノハシに聞けませんからね（笑）。

ロソス　本当に教えてくれたらいいのですが（笑）。あるいはタイム・マシンでその時代に戻って、このようなことを研究するとか、惑星レベルの規模で実験ができれば面白いですね。でもしばらくは無理でしょう。

恐竜はヒトの脳に近づいていた？

――ヒト以外の生物も、普通に考えられている以上に知性があると、本書では説明されていますね。

ロソス　ゾウやイルカ、タコなど、頭がいい種が存在しています。

――タコですか。

ロソス　カラスもとても頭がいいことがわかっています。いま挙げた種を眺めていると、はっと気づくことがあります。タコは例外として、それ以外の生物とわれわれの違いの一つは、ヒトには手があることです。ひょっとしたらモノを巧みに操作する能力が脳をより大きくし、われわれをさらに賢くしてくれたのかもしれません。ゾウがヒトより賢くならなかったのも、そのためかもしれない。いま話していることは、思いつきにすぎませんが。

もしかしたら一億年後には、ゾウは進化してさらに賢くなり、われわれの知性に匹敵《ひってき》するかもしれません。それはたしかに可能性があります。本にも書きましたが、恐竜が進化して優れた頭脳をもつというのは、推測にしかすぎませんが、わくわくする話です。

――知性というのは進化するものだと。

ロソス　最大の脳をもった恐竜は、恐竜時代の最後の最後に出現しています。この事実は、脳のサイズが時間の経過と共に増したという考えを裏付けています。映画『ジュラシック・パーク』に出てくるヴェロキラプトルに似た恐竜で、トロオドンと呼ばれています。身体の大きさの割には大きな脳をもっており、ヴェロキラプトルのようにしっかり摑《つか》める前腕をもち、前を向いた大きな目があり、二足歩行です。ある意味で人間に似ています。

ある古生物学者は、自然淘汰によって大きな脳をもつ恐竜が有利になったとして、その解剖学的な身体構造が時間の経過につれてどう変化していくか、分析を行ないました。彼の主張は、基本的に二足歩行になって尾を失い、手はモノを握るのがよりうまくなる、というものでした。つまり、われわれ人間に似てくるということです。恐竜が六千六百万年前に小惑星の衝突によって絶滅していなければ、人間にきわめて近い生態になっているだろうと。

これは推測にすぎないとして、いくつかの批判を浴びました。しかし、恐竜が生き延びたとして、人間の脳と同じ大きさにまで進化しなかった理由は、原理的にはありません。恐竜がもしいま生きていれば、われわれと同じくらい知性のある生物になっていたかもしれません。

デザイナー・ベイビーの危険

――現在、ゲノム編集は世界中で話題になっています。遺伝子に操作を加えることによって、ある特徴をもった赤ちゃん（デザイナー・ベイビー）をつくり出すことも可能といわれています。進化の視点からみると、これは人工的な進化と呼べると思いますか？

ロソス　そう呼べると思います。倫理上の問題を除外すると、新しいゲノム編集技術によって種の進化過程に影響を与えることはたしかに可能です。人間においてさえもその可能性があります。種の遺伝子プール（互いに繁殖可能な個体から構成される集団がもつ遺伝子の総体）に新しい遺伝子を導入できるだけでなく、その新しい遺伝子をその個体全体に広がるようにできる方法もあります。

実際に蚊がマラリアを伝染しないように、ゲノム編集を施そうとしています。それが成功するかどうか、はっきりしませんが、人間が施したゲノム編集による蚊という種の進化的変化です。将来起こるであろう多くの進化は、人間の仕業《しわざ》による影響も受けるかもしれません。

——ゲノム編集によって、たとえばIQが高く、運動能力の高い子供を産むことが可能になったとすると、やがて世界はそのようなヒトで溢《あふ》れるかもしれません。

ロソス　以前はSFの世界と考えられていましたが、現在は現実味を帯びてきました。ほとんどのSFの結末は悲惨なものですが、同様に多くの倫理学者は、悪い考えだと思っています。

でも一歩離れて、デザイナー・ベイビーをつくることは忘れましょう。ゲノム編集は遺伝病を治す可能性を提供してくれます。こういう遺伝上の問題を治すことができれば、多くの苦痛と不必要な死を軽減することができるので、よいことだと思われます。ただ問題は、遺伝病の治療とデザイナー・ベイビーの創出は表裏一体だということです。

——背が高くて頭がよく、美しい顔をしたデザイナー・ベイビーをつくるのに仮に成功したとしても、その副作用として、たとえば統合失調症的な性格をもっているかもしれません。

ロソス　それが予期せぬ結果です。遺伝学の分野で知られているのは、ほとんどの遺伝子は、たとえば黒髪の原因遺伝子である、という一つの作用を及ぼすのではないことです。黒髪の人間をつくろうとしてある遺伝子を編集すると、多くのほかの結果をもたらすことになります。なかには好まれない形質もあるでしょう。統合失調症的な性質もあるかもしれません。ですから、これらの実験はこうした理由だけでも、非常に慎重になされるべきです。ゲノム編集技術は、最初に考えられていたほど完璧ではなく、多くの問題が出てくる可能性があります。

――ヒトでの実験では失敗が許されませんからね。

ロソス　そうです。ほとんどの人は、そうした実験をヒトでやるべきではないと考えています。先ほど述べた遺伝病に関しても、どのようにやるかは慎重でなければなりません。いったんゲノム編集で人間をつくってしまえば、元に戻すことはできません。

――自然の進化が反撃する可能性はありませんか？

ロソス　たしかに可能性はあります。『ジュラシック・パーク』のイアン・マルコムの言を真似るなら、"Life finds a way."（自然は必ず別の道を見つける）。ですから、先ほど説明した蚊の遺伝子をゲノム編集してマラリアを媒介できないようにしようとしても、うまくいかないと思います。自然淘汰は、それを回避する別の新たな方法を見つけるからです。

地球外生命体とヒトは「似ていない」

――地球以外でも、生物の進化は起こったと考えられるのでしょうか。

ロソス　地球外生命体は存在すると、断定することはできません。まだ発見されていないからです。ただ、この十年、二十年で新しい事実がわかってきました。何億という惑星があることです。サイズ、温度、大気組成の点からみて、地球に似た多くの惑星が宇宙には存在しています。

地球に似た惑星がこれほど多くあるということは、生命がそのいくつかに誕生していてもおかしくありません。そうなると、そうした生命は地球の生命と似ているのかどうか、という問いが生じます。

――あなたは、地球外生命体はこの地球の生命と「似ていない」と本書で説明されています。その理由を教えてください。

ロソス　地球と似た惑星がほかにあるとすれば、生命もかなり似た方法で進化するはずだと思うでしょう。これは花だ、これは虫だ、というように。ヒトにそっくりで、とても頭がいい生命体がいてもおかしくはないはずだと。

こうした主張の基盤は「収斂《しゅうれん》進化（同じような環境で生息する系統の違う動物が、それぞれ似たような形質を獲得するようになること）」にあります。実際、地球上の種をみた場合、同じ環境にさらされた結果、同じ適応を進化させることはよくあります。こうした主張は、環境に適応する方法は実際限られているので、自然淘汰は地球上で同じ解決法をみつけ続けるというものです。このような考えをほかの惑星にもあてはめて、地球に環境が似ているなら、同様のかたちに適応するだろうと、主張するわけです。

——つまり、進化の方向は環境によって共通して導かれるということですね。

ロソス　おそらくあるレベルでは、この主張には真実があるでしょう。たとえば、鳥やコウモリやプテロダクティルス（一億五千万年ほど前の翼をもった恐竜）は翼を使って空を飛ぶ。地球と大気組成が似ている惑星にいる生物は、似たような翼を有した構造を進化させるだろうという主張です。

同様に、イルカやサメやマグロなど、海にいるスピードが速い生物は似た流線型をして、推進力を生み出す尾をもっている。水中ではそれが最も効果的に速く前進する方法です。地球の水と同じような性質をもつ液体がある惑星で、速く前進するように選ばれた種は、同じような体形をしているだろう、と考える。これらの主張にはある程度の妥当性があると思います。

しかし私は、この地球において多くの進化が、同じかたちを繰り返していないことにも注目しています。地球上で一回しか進化しなかった多くの種について考えてみてください。たとえば、アヒルのくちばしをしたカモノハシがそうです。オーストラリアの冷たい小川に生息するのに適応した動物です。多くの特徴があります。水かきのある足とパワフルな尾があるので非常に速く泳ぐことができます。冷たい水に適応できるように毛皮はとても厚い。最も注目すべき特徴は、水中を泳いで獲物を探しているときに、感知器官である目も鼻も耳も閉じていることです。

カモノハシが獲物を感知する方法は、くちばしについている電気受容体を使うことです。この受容体が感知するのは、水の流れだけではありません。近くを泳ぐ魚が引き起こす、微細な放電を感知するのです。ザリガニが筋肉を動かすと微細な放電をしますが、それを桁違いの感知能力を発揮して捕まえる。

このカモノハシは、冷たい小川に生息するのにうまく適応した動物ですが、オーストラリアでしか進化しなかったのはなぜか。同じような環境は世界中にあります。もしこれが優れた適応力の結果であり、同じ進化が繰り返し起こる運命にあるのなら、カモノハシのような生物が世界中にいてもおかしくありません。

でも、実際はいません。同じことがゾウやキリンなど、多くの生物にもいえます。重要なことは、環境に適応する方法はたくさんあるということです。同じ環境でも、種によって適応の仕方は非常に異なるということです。

――環境に適応したかたちで自然淘汰は起こるという意味で進化は必然だが、その方向はバラバラだという意味では偶然だということですね。

ロソス　もう一つ例を挙げると、ニュージーランドの島は、（地殻変動によって）八千万年前にオーストラリアから切り離されました。その結果、そこに生息している種は他の地域とは大きく異なり、とくに在来の陸生哺乳類は存在しません。哺乳類に代わって、さまざまな種の鳥類が存在します。たとえば、飛ばない鳥として有名なキーウィですが、ハリネズミやアナグマと同じような生態で、土の中にいる昆虫を探します。キーウィは明らかに鳥ですが、ニュージーランド以外のどこにも類似した鳥はいません。前述の主張のように、もし進化がそれほどまでに「決定論的」であれば、最終的には地球の他の地域でも同じようになるでしょう。でも実際にはそうなっていません。

――たしかに不思議ですね。

ロソス　私が言いたいのは、地球上の進化はそれほど拘束されたものではないということです。ニュージーランドの動物相は、世界の他のどの地域にもみられません。ましてや他の惑星となれば、さらに多くの点で異なるでしょう。地球と似たような惑星であっても、進化が同じ軌跡を辿《たど》ることはありそうにありません。鳥のように空を飛ぶ生物はいるかもしれませんが、ほとんどの場合、まったく異なる生命体になるだろうと推測しています。

地球温暖化の影響

――とりわけ日本はそうですが、世界で相次ぐ大地震や台風による被害は、気候変動が関係しているとしか思えません。これは生物の多様性にいかなる影響を及ぼすでしょうか。

ロソス　環境が変化すると、種もその変化に適応するようになるでしょう。地球温暖化はそのはっきりとした例だと思います。地球が温暖化するにつれて、種がより温かい地域で生息するのに適応するような、自然淘汰の圧力がかかります。いろいろな方法が考えられますが、生理機能を変えることでより高い温度でも生存できるようになることもあれば、一日の温度が低いときに活発に行動するようになる場合もあります。

ただ問題は二つあります。一つは、これらの変化が非常に速く起こるため、種が適応する前に絶滅してしまう可能性があること。もう一つは、人間自身が適応を困難にしていることです。これまで人間は、さまざまな理由で種を排除してきたため、多くの種の個体数が非常に少なくなっています。このような小さな集団では、変化に必要な遺伝物質が少ないため、突然変異のような遺伝的変異ができない可能性があります。

種が環境の変化に対応するもう一つの方法は、移動することです。これまで温度が上昇すると、北方向に移動したり高度の高い地域に移っていった種もありました。しかし現在は、人間が高速道路、農地や都市をつくっているため移動の妨げになっています。ですから、生息範囲を移すことは選択肢のなかに入らないかもしれません。過去と比べると、現代に生存する種は環境に適応するのが難しくなっているといえます。

――地球で最も生物学的な多様性に富んでいるのはどこでしょうか。アマゾンの熱帯雨林でしょうか。

ロソス トカゲに限れば、砂漠は多様性に富んでいます。しかし、総体的にみれば、アマゾンやコンゴ、インドネシアの熱帯雨林が世界で最も生物学的な多様性に富んでいる地域です。やはり赤道の周囲にある熱帯雨林が豊かな地域です。そのような地域も、気候変動やいろいろな面で脅威にさらされています。ブラジルのように木を伐採していることも脅威です。そこに火災が重なると、致命的な組み合わせになります。

――あなたはいろいろな種を観察するため、地球のありとあらゆるところに行かれていると思います。

ロソス すべてではありませんが、かなりたくさんの地域に行っています。それでわかったのは、温暖な世界では、とくにトカゲが研究対象としては非常によい生物です。トカゲは恐竜と同じように進化しました。二億四千万年前のことですが、トカゲは偉大なる生き残りの生物で、信じられないほど多様性に富んでいます。世界には一万種ほどのトカゲがいます。種の数としては哺乳動物よりも多い。この数字にはヘビも含まれていますが、ヘビはトカゲから進化したからです。ヘビは脚を退化させて進化したトカゲなのです。

トカゲを進化論的にみると、彼らは偉大なる成功者といえます。トカゲは温かいところが好きであり、ほとんどが世界の熱帯地域に生息し、この場所で最も多様性に富んでいます。なかには北極圏に生息しているものもあります。あなたが世界中の温暖地域に行きたければ、トカゲを研究対象に選ぶのがよいでしょう（笑）。

エピローグ――進化論は科学の範疇を超える

昔から、なぜヒトは現代のヒトになったか、という素朴な疑問が脳裏を離れたことはなかった。つまり、「進化論」に関心を持ち続けていたことになる。それに対する部分的な「正解」は出るかもしれないが、ヒトよりも高度な知性を持つ種が出現しないかぎり、それに対する答えは出ないのではないだろうか。

「プロローグで書いたように、たしかに「進化生物学」という専門分野はあるが、そもそも専門分野というのは便宜上人間が恣意的に作り出したものである。特に、とてつもなく長期間にわたるヒトの進化についてはむしろ分野横断的に研究するしかないだろう。英語の表現に"eons ago"という表現があるが、「大昔に」と訳しても訳しきれないほど昔のことである。"eon"というのは地質学上の時間の単位でいう十億年のことで、ここで言う「長期間」にまさにふさわしい言葉である。

パンデミック禍に突入して以来、「科学に基づいて」という言葉がよく使われるが、この言葉は一見「冷静な判断に基づいて」というふうに聞こえる。しかし、考えてみると新しい「科学」論文が、前説を覆《くつがえ》すことはよくあることなので、「科学」という言葉にごまかされてはいけない。

二〇〇一年にノーベル生理学・医学賞を受賞した細胞生物学・遺伝学者のポール・ナース氏は「科学はそのほとんどの知識が tentative（暫定的、一時的）なもので、それが重力の法則のように不変の真理になるにはかなりの時間がかかる」と言っていた。

進化論は科学の領域をはるかに超えていることは確かである。思想、哲学など人文社会学の分野と言っても過言ではない。だから昔から論争の格好のテーマになっている。その論争に終止符が打たれることはわれわれの好奇心が消滅したことを意味する。

進化論を科学的に論じるのは頗る難しい。どれほどの「科学的」証拠を見つけても仮説の域を超えるのは困難である。突然変異がいつ起きるか、という問いに対しての答えも永久に出ないのではないだろうか。変異というのは突然ランダムに起きるから、「突然変異」というのだが、それを人為的に生じさせる技術を開発した科学者の一人が、本書の最初に登場するジェニファー・ダウドナ氏である。

私が「遺伝子編集」という言葉を最初に目にしたとき、進入禁止の神の領域に入ってしまった、と体が震えたのを覚えている。ヒトは自然の外部にいるのではなく、自然の一部であり、それが自然という無限のウェブを本格的に tinker（いじくる）し始めたのである。その予期せぬ、意図しない結果がどういうものになるか、考えるだけで恐ろしいと感じるのは私だけであろうか。デザイナー・ベイビーについてもかなり前から語られているが、これが現実味を帯び始めていることは確かだ。

デビッド・シンクレア氏は、人生の時計の針を戻す術《すべ》を研究しているが、これも遺伝子編集とまではいかないにしても、tinkering with nature に入ると主張する人もいるだろう。

宇宙に対する関心も消えることはないが、地球外生命体が存在することはほとんどの科学者で一致している。本書に登場するどの科学者も高い識見をそなえているが、リサ・ランドール氏、チャールズ・コケル氏、ジョナサン・ロソス氏は地球外生命体について、興味深い視座を提供してくれたと思う。

Nature vs Nurture（遺伝か環境か）論争はいまでも続いているが、五輪で金メダルをとるような優れたスポーツ選手をみると、親も同じスポーツを専門にし、生まれたときからそのスポーツを実践する環境が整っていることはよくあることである。遺伝の要素も環境の要素もそろっているようにみえる。

数学者をみても突然変異ではなく、親も怜悧《れいり》な頭の持ち主であることが圧倒的に多い。しかし、この論争に「文化―遺伝子共進化」と自身が呼ぶ進化論で決着をつけようとしたのが、ジョセフ・ヘンリック氏である。氏はこの論争を不毛な論争であると明言している。

独創的であれ、とよく言われるが、なぜヒトだけが文化を形成できたのか、という問いに対しても「真似ることができたから」であると氏は言い切る。それはヒトが持つ目標やモチベーションも含むというから、独創的であることにこだわる必要はないのではないか、と思ってしまう。

八人の科学者の中で、Ｚｏｏｍでのインタビューを行なったのは、ジェニファー・ダウドナ氏だけで、他の七人に対しては、すべて対面でインタビューした。やはり対面インタビューのほうがはるかに楽しい。リモートでインタビューすることがニューノーマルになったが、いつの日か対面でインタビューできる日が待ち遠しい。

最後に、快くインタビューに応じてくれた八人の科学者に心からの感謝を捧げたい。彼らが自分の研究について誇らしげに話す表情は本当に生き生きしている。

そして、Ｖｏｉｃｅ編集部の担当編集者である中西史也氏と岩谷菜都美氏、書籍化にあたっては第一事業制作局の永田貴之氏、ＰＨＰ新書課の宮脇崇広氏に尽力をいただいた。この場を借りて、心からお礼を申し上げたい。

二〇二一年十月　東京にて

大野和基

初出一覧

ジェニファー・ダウドナ／『Voice』2021年3月号
デビッド・A・シンクレア／『Voice』2020年3月号
リサ・ランドール／『Voice』2018年9月号
ジョセフ・ヘンリック／『Voice』2020年2月号
ジョナサン・シルバータウン／『Voice』2020年7月号
チャールズ・コケル／『Voice』2020年6月号
マーティン・リース／『Voice』2020年3月号
ジョナサン・B・ロソス／『Voice』2020年1月号

[編者略歴]

大野和基［おおの・かずもと］

1955年、兵庫県生まれ。大阪府立北野高校、東京外国語大学英米学科卒業。79～97年渡米。コーネル大学で化学、ニューヨーク医科大学で基礎医学を学ぶ。その後、現地でジャーナリストとしての活動を開始、国際情勢の裏側、医療問題から経済まで幅広い分野の取材・執筆を行なう。97年に帰国後も取材のため、頻繁に渡航。アメリカの最新事情に精通している。訳・編著に『未来を読む』『未完の資本主義』『自由の奪還』『つながり過ぎた世界の先に』『5000日後の世界』(以上、PHP新書)、著書に『英語の品格』(ロッシェル・カップ氏との共著、インターナショナル新書)など多数。

PHP新書
PHP INTERFACE
https://www.php.co.jp/

人類が進化する未来
世界の科学者が考えていること

PHP新書 1286

二〇二一年十一月三十日　第一版第一刷

著者――ジェニファー・ダウドナ／デビッド・A・シンクレア／リサ・ランドール／ジョセフ・ヘンリック／ジョナサン・シルバータウン／チャールズ・コケル／マーティン・リース／ジョナサン・B・ロソス
インタビュー・編――大野和基
発行者――永田貴之
発行所――株式会社PHP研究所
東京本部――〒135-8137　江東区豊洲5-6-52
第一制作部　☎03-3520-9615（編集）
普及部　☎03-3520-9630（販売）
京都本部――〒601-8411　京都市南区西九条北ノ内町11
組版――有限会社エヴリ・シンク
装幀者――芦澤泰偉＋児崎雅淑
印刷所
製本所――図書印刷株式会社

ISBN978-4-569-85073-3

ＰＨＰ新書刊行にあたって

「繁栄を通じて平和と幸福を」(PEACE and HAPPINESS through PROSPERITY)の願いのもと、ＰＨＰ研究所が創設されて今年で五十周年を迎えます。その歩みは、日本人が先の戦争を乗り越え、並々ならぬ努力を続けて、今日の繁栄を築き上げてきた軌跡に重なります。

しかし、平和で豊かな生活を手にした現在、多くの日本人は、自分が何のために生きているのか、どのように生きていきたいのかを、見失いつつあるように思われます。そして、その間にも、日本国内や世界のみならず地球規模での大きな変化が日々生起し、解決すべき問題となって私たちのもとに押し寄せてきます。

このような時代に人生の確かな価値を見出し、生きる喜びに満ちあふれた社会を実現するために、いま何が求められているのでしょうか。それは、先達が培ってきた知恵を紡ぎ直すこと、その上で自分たち一人一人がおかれた現実と進むべき未来について丹念に考えていくこと以外にはありません。

その営みは、単なる知識に終わらない深い思索へ、そしてよく生きるための哲学への旅でもあります。弊所が創設五十周年を迎えましたのを機に、ＰＨＰ新書を創刊し、この新たな旅を読者と共に歩んでいきたいと思っています。多くの読者の共感と支援を心よりお願いいたします。

一九九六年十月

ＰＨＰ研究所

1073 「やさしさ」過剰社会 榎本博明
1079 超ソロ社会 荒川和久
1087 羽田空港のひみつ 秋本俊二
1093 震災が起きた後で死なないために 野口 健
1106 御社の働き方改革、ここが間違ってます！ 白河桃子
1125 『週刊文春』と『週刊新潮』闘うメディアの全内幕 花田紀凱／門田隆将
1128 男性という孤独な存在 橘木俊詔
1140 「情の力」で勝つ日本 日下公人
1144 未来を読む ジャレド・ダイアモンドほか［著］ 大野和基［インタビュー・編］
1146 「都市の正義」が地方を壊す 山下祐介
1149 世界の路地裏を歩いて見つけた「憧れのニッポン」 早坂 隆
1150 いじめを生む教室 荻上チキ
1151 オウム真理教事件とは何だったのか？ 一橋文哉
1154 孤独の達人 諸富祥彦
1161 貧困を救えない国 日本 阿部彩／鈴木大介
1164 ユーチューバーが消滅する未来 岡田斗司夫
1183 本当に頭のいい子を育てる 世界標準の勉強法 茂木健一郎
1190 なぜ共働きも専業もしんどいのか 中野円佳
1201 未完の資本主義 ポール・クルーグマンほか［著］／大野和基［インタビュー・編］
1202 トイレは世界を救う ジャック・シム［著］／近藤奈香［訳］
1219 本屋を守れ 藤原正彦
1223 教師崩壊 妹尾昌俊
1229 大分断 エマニュエル・トッド［著］／大野 舞［訳］
1231 未来を見る力 河合雅司
1233 男性の育休 小室淑恵／天野 妙
1234 AIの壁 養老孟司
1239 社会保障と財政の危機 鈴木 亘
1242 食料危機 井出留美
1247 日本の盲点 開沼 博
1249 働かないおじさんが御社をダメにする 白河桃子
1252 データ立国論 宮田裕章
1262 教師と学校の失敗学 妹尾昌俊
1263 同調圧力の正体 太田 肇
1264 子どもの発達格差 森口佑介
1271 自由の奪還 アンデシュ・ハンセン他［著］／大野和基［インタビュー・編］
1277 転形期の世界 Voice編集部［編］
1280 東アジアが変える未来 Voice編集部［編］

1114 クルマを捨ててこそ地方は甦る　藤井 聡
1136 残念な職場　河合 薫
1162 なんで、その価格で売れちゃうの?　永井孝尚
1166 人生に奇跡を起こす営業のやり方　田口佳史／田村 潤
1172 お金の流れで読む　日本と世界の未来
ジム・ロジャーズ［著］／大野和基［訳］
1174 「消費増税」は嘘ばかり　髙橋洋一
1175 平成の教訓　竹中平蔵
1187 なぜデフレを放置してはいけないか　岩田規久男
1193 労働者の味方をやめた世界の左派政党　吉松 崇
1198 中国金融の実力と日本の戦略　柴田 聡
1203 売ってはいけない　永井孝尚
1204 ミルトン・フリードマンの日本経済論　柿埜真吾
1220 交渉力　橋下 徹
1230 変質する世界　Voice編集部［編］
1235 決算書は3項目だけ読めばいい　大村大次郎
1258 脱GHQ史観の経済学　田中秀臣
1265 決断力　橋下 徹
1273 自由と成長の経済学　柿埜真吾

［政治・外交］

893 語られざる中国の結末　宮家邦彦
898 なぜ中国から離れると日本はうまくいくのか　石 平
920 テレビが伝えない憲法の話　木村草太
931 中国の大問題　丹羽宇一郎
954 哀しき半島国家　韓国の結末　宮家邦彦
967 新・台湾の主張　李 登輝
979 なぜ中国は覇権の妄想をやめられないのか　石 平
988 従属国家論　佐伯啓思
1000 アメリカの戦争責任　竹田恒泰
1024 ヨーロッパから民主主義が消える　川口マーン惠美
1060 イギリス解体、EU崩落、ロシア台頭　岡部 伸
1076 日本人として知っておきたい「世界激変」の行方　中西輝政
1083 なぜローマ法王は世界を動かせるのか　徳安 茂
1122 強硬外交を反省する中国　宮本雄二
1124 チベット　自由への闘い　櫻井よしこ
1135 リベラルの毒に侵された日米の憂鬱　ケント・ギルバート
1137 「官僚とマスコミ」は嘘ばかり　髙橋洋一
1153 日本転覆テロの怖すぎる手口　兵頭二十八
1155 中国人民解放軍　茅原郁生
1157 二〇二五年、日中企業格差　近藤大介
1163 AI監視社会・中国の恐怖　宮崎正弘
1169 韓国壊乱　櫻井よしこ／洪 熒
1180 プーチン幻想　グレンコ・アンドリー

1188 シミュレーション日本降伏　北村 淳
1189 ウイグル人に何が起きているのか　福島香織
1196 イギリスの失敗　岡部 伸
1208 アメリカ 情報・文化支配の終焉　石澤靖治
1212 メディアが絶対に知らない2020年の米国と日本　渡瀬裕哉
1225 ルポ・外国人ぎらい　宮下洋一
1226 「NHKと新聞」は嘘ばかり　髙橋洋一
1231 米中時代の終焉　日高義樹
1236 韓国問題の新常識　Voice編集部［編］
1237 日本の新時代ビジョン　鹿島平和研究所・PHP総研［編］
1241 ウッドロー・ウィルソン　倉山 満
1248 劣化する民主主義　宮家邦彦
1250 賢慮《けんりょ》の世界史　佐藤 優／岡部 伸
1254 メルケル 仮面の裏側　川口マーン惠美
1260 中国vs.世界　安田峰俊
1261 NATOの教訓　グレンコ・アンドリー
1274 日本を前に進める　河野太郎

［歴史］

061 なぜ国家は衰亡するのか　中西輝政
286 歴史学ってなんだ?　小田中直樹
505 旧皇族が語る天皇の日本史　竹田恒泰
663 日本人として知っておきたい近代史［明治篇］　中西輝政
755 日本人はなぜ日本のことを知らないのか　竹田恒泰
761 真田三代　平山 優
784 日本古代史を科学する　中田 力
903 アジアを救った近代日本史講義　渡辺利夫
922 木材・石炭・シェールガス　石井 彰
968 古代史の謎は「海路」で解ける　長野正孝
1012 古代史の謎は「鉄」で解ける　長野正孝
1057 なぜ会津は希代の雄藩になったか　中村彰彦
1064 真田信之 父の知略に勝《まさ》った決断力　平山 優
1085 新渡戸稲造はなぜ『武士道』を書いたのか　草原克豪
1086 日本にしかない「商いの心」の謎を解く　呉 善花
1096 名刀に挑む　松田次泰
1104 一九四五 占守島の真実　相原秀起
1108 コミンテルンの謀略と日本の敗戦　江崎道朗
1111 北条氏康 関東に王道楽土を築いた男　伊東 潤／板嶋常明
1115 古代の技術を知れば、『日本書紀』の謎が解ける　長野正孝
1116 国際法で読み解く戦後史の真実　倉山 満
1118 歴史の勉強法　山本博文

1121 明治維新で変わらなかった日本の核心 猪瀬直樹／磯田道史
1123 天皇は本当にただの象徴に堕ちたのか 竹田恒泰
1129 物流は世界史をどう変えたのか 玉木俊明
1130 なぜ日本だけが中国の呪縛から逃れられたのか 石 平
1138 吉原はスゴイ 堀口茉純
1141 福沢諭吉 しなやかな日本精神 小浜逸郎
1142 卑弥呼以前の倭国五〇〇年 大平 裕
1152 日本占領と「敗戦革命」の危機 江崎道朗
1160 明治天皇の世界史 倉山 満
1167 吉田松陰『孫子評註』を読む 森田吉彦
1168 特攻 知られざる内幕 戸高一成［編］
1176 「縄文」の新常識を知れば 日本の謎が解ける 関 裕二
1177 「親日派」朝鮮人 消された歴史 拳骨拓史
1178 歌舞伎はスゴイ 堀口茉純
1181 日本の民主主義はなぜ世界一長く続いているのか 竹田恒泰
1185 戦略で読み解く日本合戦史 海上知明
1192 中国をつくった12人の悪党たち 石 平
1194 太平洋戦争の新常識 歴史街道編集部［編］
1197 朝鮮戦争と日本・台湾「侵略」工作 江崎道朗
1199 関ヶ原合戦は「作り話」だったのか 渡邊大門
1206 ウェストファリア体制 倉山 満
1207 本当の武士道とは何か 菅野覚明
1209 満洲事変 宮田昌明
1210 日本の心をつくった12人 石 平
1213 岩崎小彌太 武田晴人
1217 縄文文明と中国文明 関 裕二
1218 戦国時代を読み解く新視点 歴史街道編集部［編］
1228 太平洋戦争の名将たち 歴史街道編集部［編］
1243 源氏将軍断絶 坂井孝一
1255 海洋の古代日本史 関 裕二
1266 特攻隊員と大刀洗飛行場 安部龍太郎
1267 日本陸海軍、失敗の研究 歴史街道編集部［編］
1269 緒方竹虎と日本のインテリジェンス 江崎道朗
1276 武田三代 平山 優
1279 第二次大戦、諜報戦秘史 岡部 伸

［地理・文化］

592 日本の曖《あい》昧《まい》力 呉 善花
670 発酵食品の魔法の力 小泉武夫／石毛直道［編著］
705 日本はなぜ世界でいちばん人気があるのか 竹田恒泰
934 世界遺産にされて富士山は泣いている 野口 健

343 ドラえもん学　横山泰行
415 本の読み方 スロー・リーディングの実践　平野啓一郎
421 「近代日本文学」の誕生　坪内祐三
497 すべては音楽から生まれる　茂木健一郎
519 團十郎の歌舞伎案内　市川團十郎
578 心と響き合う読書案内　小川洋子
581 ファッションから名画を読む　深井晃子
588 小説の読み方　平野啓一郎
731 フランス的クラシック生活
ルネ・マルタン［著］／高野麻衣［解説］
781 チャイコフスキーがなぜか好き　亀山郁夫
820 心に訊《き》く音楽、心に効く音楽　高橋幸宏
843 仲代達矢が語る 日本映画黄金時代　春日太一
905 美　福原義春
916 乙女の絵画案内　和田彩花
951 棒を振る人生　佐渡　裕
1009 アートは資本主義の行方を予言する　山本豊津
1021 至高の音楽　百田尚樹
1103 倍賞千恵子の現場　倍賞千恵子
1126 大量生産品のデザイン論　佐藤　卓
1145 美貌のひと　中野京子
1165 《受胎告知》絵画でみるマリア信仰　高階秀爾
1191 名画という迷宮　木村泰司
1221 太宰を読んだ人が迷い込む場所　齋藤　孝
1253 若冲のひみつ　山口　桂
1270 美貌のひと2　中野京子

［**人生・エッセイ**］

377 上品な人、下品な人　山﨑武也
742 みっともない老い方　川北義則
827 直感力　羽生善治
938 東大卒プロゲーマー　ときど
1067 実践・快老生活　渡部昇一
1112 95歳まで生きるのは幸せですか?
池上　彰／瀬戸内寂聴
1132 半分生きて、半分死んでいる　養老孟司
1134 逃げる力　百田尚樹
1147 会社人生、五十路の壁　江上　剛
1148 なにもできない夫が、妻を亡くしたら　野村克也
1158 プロ弁護士の「勝つ技法」　矢部正秋
1179 なぜ論語は「善」なのに、儒教は「悪」なのか　石　平
1211 保険ぎらい　荻原博子

［**知的技術**］

112 大人のための勉強法　和田秀樹
180 伝わる・揺さぶる！文章を書く　山田ズーニー
203 上達の法則　岡本浩一
305 頭がいい人、悪い人の話し方　樋口裕一
399 ラクして成果が上がる理系的仕事術　鎌田浩毅
438 プロ弁護士の思考術　矢部正秋
573 1分で大切なことを伝える技術　齋藤　孝
646 世界を知る力　寺島実郎
673 本番に強い脳と心のつくり方　苫米地英人
718 必ず覚える！1分間アウトプット勉強法　齋藤　孝
737 超訳 マキャヴェリの言葉　本郷陽二
747 相手に9割しゃべらせる質問術　おちまさと
749 世界を知る力 日本創生編　寺島実郎
762 人を動かす対話術　岡田尊司
768 東大に合格する記憶術　宮口公寿
805 使える！「孫子の兵法」　齋藤　孝
810 とっさのひと言で心に刺さるコメント術　おちまさと
835 世界一のサービス　下野隆祥
838 瞬間の記憶力　楠木早紀
846 幸福になる「脳の使い方」　茂木健一郎
851 いい文章には型がある　吉岡友治
933 すぐに使える！頭がいい人の話し方　齋藤　孝
944 日本人が一生使える勉強法　竹田恒泰
1002 高校生が感動した微分・積分の授業　山本俊郎
1054 「時間の使い方」を科学する　一川　誠
1068 雑談力　百田尚樹
1113 高校生が感動した確率・統計の授業　山本俊郎
1127 一生使える脳　長谷川嘉哉
1133 深く考える力　田坂広志
1171 国際線機長の危機対応力　横田友宏
1186 実行力　橋下　徹
1216 ドラえもんを本気でつくる　大澤正彦
1222 コミュニケーション・ストレス　黒川伊保子
1245 最高の質問力　鎌田　靖

［自然・生命］

1016 西日本大震災に備えよ　鎌田浩毅
1257 京大　おどろきのウイルス学講義　宮沢孝幸
1272 「性」の進化論講義　更科　功

［医療・健康］

336 心の病は食事で治す　生田　哲
436 高次脳機能障害　橋本圭司
499 空腹力　石原結實

552 食べ物を変えれば脳が変わる 生田 哲
712 「がまん」するから老化する 和田秀樹
788 老人性うつ 和田秀樹
794 日本の医療 この人を見よ 海堂 尊
800 医者になる人に知っておいてほしいこと 渡邊 剛
801 老けたくなければファーストフードを食べるな 山岸昌一
860 日本の医療 この人が動かす 海堂 尊
912 薬は5種類まで 秋下雅弘
926 抗がん剤が効く人、効かない人 長尾和宏
947 まさか発達障害だったなんて
星野仁彦／さかもと未明
1007 腸に悪い14の習慣 松生恒夫
1013 東大病院を辞めたから言える「がん」の話 大場 大
1036 睡眠薬中毒 内海 聡
1047 人間にとって健康とは何か 斎藤 環
1053 iPS細胞が医療をここまで変える
山中伸弥［監修］／京都大学iPS細胞研究所［著］
1056 なぜ水素で細胞から若返るのか 辻 直樹
1139 日本一の長寿県と世界一の長寿村の腸にいい食事 松生恒夫
1143 本当に怖いキラーストレス 茅野 分
1156 素敵なご臨終 廣橋 猛
1173 スタンフォード大学教授が教える 熟睡の習慣 西野精治
1200 老化って言うな！ 平松 類
1240 名医が実践する「疲れない」健康法 小林弘幸
1244 腰痛難民 池谷敏郎

［スポーツ］

634 「優柔決断」のすすめ 古田敦也
702 プロ野球 最強のベストナイン 小野俊哉
714 野茂英雄
ロバート・ホワイティング［著］／松井みどり［訳］
782 エースの資格 江夏 豊
787 理想の野球 野村克也
793 大相撲新世紀 2005―2011 坪内祐三
809 なぜあの時あきらめなかったのか 小松成美
813 やめたくなったら、こう考える 有森裕子
836 阪神の四番 新井貴浩
855 投手論 吉井理人
914 意識力 宮本慎也
957 どんな球を投げたら打たれないか 金子千尋
975 求心力 平尾誠二
990 セッター思考 竹下佳江
1041 うまくいかないときの心理術 古田敦也
1227 ONE TEAMはなぜ生まれたのか 藤井雄一郎